新潮文庫

砂の器

下巻

松本清張著

社

新潮文庫

砂の器

下巻

松本清張著

新潮社版

2114

砂の器

下巻

第九章　模　索

1

今西と吉村との二人は渋谷駅から井の頭線に乗った。途中の下北沢駅で小田急に乗り換え、六つ目の駅でおりた。

駅前の短い商店街を通ると、このあたりは新開地らしい住宅地が雑木林の間に点在していた。稲が色づいていた。

バスが通る道を二人は歩いた。

稲田の向こうに住宅があり、その後ろに林がつづき、また住宅の丘が続いた。郊外らしい地形だった。

「ここだよ」

今西は立ちどまった。

吉村の希望で、宮田邦郎が心臓麻痺を起こして死んだという地点に今西が案内してきたのだった。

「なるほど、ここですか」

吉村は今西のさした辺りに目をやった。国道から五メートルぐらい、狭い路に引っこんだところだった。足もとには夏草が生い茂っている。

「バスの停留所はすぐそこですね」

実際、二人の立っているところから一メートルと離れていないところに、バスが客をおろしていた。

「これだと、宮田邦郎がバスを待っていたという想定は、あながち無理ではないですね」

「そうだ、それは不自然ではない。あ、吉村君」

今西は急に思い出したように言った。

「あのバスの車掌さんに、ここを通る夜八時ごろのバスは、正確に何時と何時があるかきいてくれないか」

吉村は駆け出した。発車間際のステップに足をかけた車掌をつかまえて、吉村は何かきいていたが、バスが出ると同時に、吉村も引き返してきた。

「わかりました」

吉村は伝えた。

「七時四十分に成城行のバスが通ります。八時には吉祥寺行のバスが通り、十分後にはまた成城行が通ります。そのあと二十分ほど切れて、また千歳烏山から成城に向かうバスが通るそうです。あとは上下線とも二十分間隔ですから、ここでは約十分ごとにバスが往復する勘定になります」

今西はそれを聞いていたが、

「ずいぶん、頻繁に通るんだね」

と呟いた。

「宮田邦郎の死亡時刻は、だいたい午後八時となっている」

と、彼はつづけた。

「すると、彼がこの停留所付近で待っていたと仮定すると、バスの間隔はだいたい十分としてその間に心臓麻痺が起こったことになる。もちろん、この十分間は正確ではない。上下線が必ずここでその間隔で通るとは限らないからズレはあるわけだな。だが、いずれにしてもそれほどの長い時間は待っていなかったわけだ。その間に心臓麻痺の発作が起こったとすると、宮田はよほど運が悪かったことになる」

今西の呟きは、考えながら自分に言いきかせているようだった。

だが、このひとりごとは吉村には聞こえなかった。彼は今西から離れて道の傍の畑の中を歩いていたからだ。

「今西さん」

吉村が畑の中に背を屈めて呼んだ。

今西は、吉村の呼ぶ方に行った。

「こんなものが落ちていますよ」

吉村は地面をさした。草むらの間に、十センチ四方の紙片（かみきれ）が落ちている。もっとも、それは端が不規則にちぎれていた。

「何だろうね？」

今西は、その紙片を取りあげた。落ちていたときは裏側になっていたので何も見えなかったが、裏を返すと文字が書いてあった。

「ほほう、表（ひょう）ですね」

吉村が覗（のぞ）いた。

それには次のようなことが列記されてあった。

「失業保険金給付総額

昭和二十四年　――

二十五年　――

二十六年　――

二十七年　――

二十八年　二五、四〇四　――

二十九年　三五、五二二　――

――
三十年　三〇、八三四――
――
三十一年　二四、三六二――
――
三十二年　二七、四三五――
――
三十三年　二八、四三一――
――
三十四年　二八、四三八――

「失業保険の金額ですね」

吉村が見て言った。

もっとも、この紙片はいくつかにちぎられた一部分らしい。

「この辺に、こんな統計に興味を持った人がいるんでしょうか?」

「さあ、労働省の役人か何かいるかもしれないね」

およそ、興味のうすい統計だった。

その紙片は宮田邦郎の倒れていた地点と、ほぼ十メートルぐらい離れて落ちていた。

「これは、いつからここにあったものでしょうか？」

吉村が言った。

「紙は薄い模造紙だね。あまり汚れていない。吉村君、雨はいつごろ降ったかね」

「そうですね。たしか四五日前に、降ったはずだと思いますが」

「この薄い紙片が落とされたのはそれ以後だ。雨に打たれた形跡がない。雨に打たれて汚れたとすると、もっと汚なくなっているからね」

「宮田邦郎が死んだのは三日前ですね。そのころのものでしょうか？」

「さあ」

今西は考えていた。

「しかし、こんなものは宮田の死と何も関係がないね。まさか、宮田がこんなものを持っているとは思えないからな」

「しかし、念のために前衛劇団のほうにきいてみたらどうでしょう。芝居の小道具の一つか、あるいは、台詞(せりふ)の抜き書きかもしれませんよ」

吉村の言葉に今西は言った。

「そうだな。この紙が風に吹かれてここまで来たという考え方もある。君はそう考えているんだね」

「そうですね、その可能性も、勘定に入れていいでしょう」

「宮田以外の人間が持っていたという推定だろう？」

「そうです」

と、吉村は答えた。

「宮田の知合いで、こういう統計を書いた人間、つまり労働関係に興味を持っていた人間がいるかもしれないという推測です」

「すると、その人間は、ここまで宮田といっしょだったという意味かね？」

「そうかもしれません。また宮田がその紙をもらって、ポケットか何かに持っていて、ここに倒れたときに地面に落ちた。あとで風が吹いてここまで転（ころ）がった、という推定もあるわけです」

今西は笑った。

「それは無関係だろう。宮田が何も興味のない、こんなものをもらうわけがないからね。しかし、別な人間が宮田とここまでいっしょだったということは、なかなか興味があるよ」

今西は、その紙をもう一度見た。

「これは何だろうね？」

彼は、紙の上に指を当てた。

「そら、この統計表は昭和二十四年からになってるだろう。ところが、二十四、二十五、二

十六、二十七は棒のようなものが引いてあって、数字はブランクになっている」
「それは、その数字が不必要だったか、あるいはよくわからなかったか、どっちかでしょうね」

「それはいいよ。ところが、見たまえ。この二十八年と二十九年の間には、棒が二本引いてある。また、二十九年と三十年の間には、棒が三本もはいっている。上にはもちろん、前に書いたような年度ははいっていない。このブランクは何を意味するんだろう?」

「そうですね」

吉村も首をねじむけて見入っていた。

「わかりませんね。もしかすると、この間に何か別な数字がはいるのかもしれません。たとえば、被保険者数とか、受給者の人員数とか、そういうものを入れるつもりじゃなかったんでしょうか?」

「それだと、上にその項目があってもいいはずだが、それもない。たぶん、これは書いた人間の何かの心覚えかもしれないね」

「文字はまずいですね」

「うむ、まずい。まるで中学生が書いたようだ。しかし、近ごろの大学卒業者は、字がおそろしく下手くそだからな」

「どうします、この紙片は?」

「ま、何かの参考になるかもしれない。ぼくがしまっておくよ」

今西は、その紙片を手帳の間にはさんで、ポケットに入れた。そのほか何も現場で新しい発見はなかった。もっとも、いま、手帳の間にはさんだ紙片も、宮田邦郎の死亡とは無関係かもしれないのである。失業者の統計など、およそ俳優とは縁がないわけだ。

「わざわざ、こんな所に引っぱり出して悪かったね」

今西は吉村に言った。

「いいえ、どうしまして。ぼくも一度は見ておいたほうがいいのです。今西さんについてきてかえってよかったですよ」

二人は、バスの停留所の方へ歩き出した。

今西は警視庁に戻って、しばらくぼんやりしていた。さいわい今日は事件のための捜査活動はなく、同じ部屋の同僚たちは、将棋をさしたり、碁を囲んだりして、のんびりしていた。

今西は、ふいと、あることを思いついて広報課に行った。

「おや、また、何かむずかしい調査かね?」

今西の顔を見て広報課長はきいた。

「ミュージック・コンクレートについて、知りたいのです」

今西は真面目な顔をして言った。

「何だい、それは?」

課長は、あきれたように今西の顔を見た。

「何でも、音楽らしいです」

「音楽と、君とは、およそ似合わない取合わせだね」

「別に、ぼくが音楽をやるわけではありません。何か、手ごろなものはありませんか？」

「やれやれ、この間は方言を聞きにきたが、今日はまた音楽かい」

課長は、それでも自分で立って事典の一つを調べて引き出してくれた。

「これを見たら何かあるだろう」

今西は厚いその本を開いた。

彼は百科事典の細かい活字を目で追った。

「ミュージック・コンクレート
具体音楽と訳す。楽音たると否とを問わず、存在する限りのあらゆる音響を素材とし、それらにさまざまな（電気的・機械的）加工を施すなどして、テープ・モンタージュの方法により構成した音楽。その聴取は電子音楽同様全く演奏家なしに、スピーカーを通して行なわれる。一九四八年にフランスの技師ピエール・シェフェルにより創造され、音楽界に強いショックを与え、一部の前衛的作曲家たちの支持と協力を得てしだいに世界にひろまった。その名称は、素材音としておもに具体的音響（自然音・機械の音・人声等々）を用いることから由来しているが『具体音楽』という名称はたいへん誤解を招きやすい。すなわち、これらの素材音はすべて音響本来の意味（発音の原因・目的等）とは無関係に、個々の独立した音そのもの、すなわち『音響オブジェ』として作曲家にとらえられ、用いられるので『具体』なる語は『具体的内容』とか『描写』などという事柄を意味しているのではないことに注意しなければならない。この『音響オブジェ』なる思想は従来の音楽には全くなかったもので、シュルレアリズムから来た。それゆえ具体音楽は従来のいかなる音楽とも断絶したところから発生したといえよう。しかし、しいて、その起源を音楽史のうちに求めるなら、一九二〇年代におけるエドガー・ヴァレーズの前衛的諸作品（イオン化など）や、これに先立って一九一〇年代の一時期にイタリアで活動した未来派（マリネッティら）のいわゆる『騒音芸術』などがあげられよう。未来派から具体音楽に至る一連の『騒音音楽』は、従来の音楽のあり方に本質的に否定的であり、この否定から出発して、従来の音楽では見向きもされなかった新しい音素材（騒音類）の持つ強力で新鮮なエネルギーと表現力をもって、音楽の世界にまったく新しい一分野を開拓確立せんとする動きを示している。……（諸井誠）」

今西は百科事典を閉じた。

何だかむずかしいことばかり書いてあって、ちっとも頭に残らない。音楽を知らないから無理はないが、それにしても、ミュージック・コンクレートとは何ぞやという解答は、この解説からは得られなかった。

よほど、むずかしい音楽らしいことはわかる。これまでの音楽とはちょっと型変わりということもわかる。しかし、具体的なことは何一つ頭にはいらなかった。

「どうもありがとうございました」

今西は厚い本を返した。

「わかったかね？」

課長は振り向いた。

「いや、よくわかりません。ぼくにはちょっとむずかしいです」

今西は苦笑した。

「そうだろう。音楽と君とは、およそ縁がないからね。どうして、また、そんなことに興味を持ったのかね？」

「はあ、ちょっと思いついたことがありましたので」

今西は適当にごまかして広報課を出た。

今西がミュージック・コンクレートなるものを知りたいと思ったのは、今朝、新聞であのヌーボー・グループの関川（せきがわ）という男が、同じグループの和賀（わが）という男の音楽を批評したのを読んだからである。

今西は、それまで特別にヌーボー・グループに、注意を払っていなかった。ただ、自分たちが東北からの帰りがけに、偶然、羽後亀田（うごかめだ）駅でいっしょになったという因縁だけで多少の興味があったというにすぎない。

しかし、死んだ宮田邦郎があの亀田に行っていたという推定がはっきりしてきた今は、ちょっと事情がちがった。今西が亀田に出張したとき、同じ土地にロケット見学に来ていたヌーボー・グループに今度は別な興味が加わったのだ。

もとよりそのグループと、宮田邦郎の「演技」とに関係があるとは思われない。しかし、とにかく、今西は、今朝の新聞の話題になっているミュージック・コンクレートなる音楽を知りたいと思った。

もっとも、それもぜひにということではなかった。忙しいときだったら、そんなものを調べるつもりはなかった。だが、ここのところ事件がなく、体がひまなので、つい百科事典など覗きこみたくなったのだ。

それにしても、宮田邦郎は、何の目的で、あんなところに行って、うろつかなければならなかったか。これが世田谷からの帰り、吉村と二人で話しあった疑問だった。

夕方になった。吉村から電話がかかってきた。

「今西さん、先ほどは失礼しました」

吉村ははずんだ声で言った。

「あのとき、宮田が、なぜ、亀田に行ったか二人で考えましたね。ぼくには、やっと見当がつきましたよ」

「ほほう、そりゃあ、聞きたいね」

「ぼくは、蒲田殺人事件当時の新聞を繰ってみましたよ。すると、事件が起こって三四日ごろ、新聞にぼつぼつとカメダと東北弁のことが出ているんです。つまり、犯人と被害者らしい者が、あの駅前の安バーで、東北弁みたいな言葉を話し、カメダという名前が出たので、警視庁ではこの点を重視している、と、記事にはあるのです」

「なるほど、それで？」

今西は唾をのんだ。

「この新聞記事が、宮田の亀田行になったと思うんですよ。つまり、カメダと東北弁のことが捜査本部に問題となっているので、ホシとしては、いずれ東北のカメダが捜査当局の注意を惹くと考えたのだと思います」

「なるほど」

今西はうなった。

「そこまでは気がつかなかったなア」

「そうなんです、ぼくも同じでした」

吉村の声はやはりはずんでいた。

「ホシは、早晩、警視庁の注意が東北の方へ向かい、そこに亀田という地名があるのを発見して、それに捜査が向かうものと予想したと思います。ホシとしては、その方に捜査の目を引き寄せるという狙いがあったんじゃないでしょうか？」

「それは凄い」

今西は電話口で叫んだ。

「そうだ、そうかもしれないぞ」

「ですから」

吉村も今西に賞められて声が上ずっていた。

「亀田に、何かのカタチが残っていなければいけなかった。警察の注意が、もっともっと亀田に向かうには、そこに妙な現象が起こっていなければならなかった。ホシは、そう考えたと思うんです。それが、宮田扮する〝妙な男〟の出没となって、亀田の土地の警察の耳にはいったと思うんです。つまり、あれは犯人のこしらえた手品だと思うのですよ」

今西はうなった。

「そこまでは考えつかなかった。するとホシは？」

「そうです。ホシは東北の人間ではありません。別なところです」

「では、宮田邦郎の役は？」

「むろん、ホシに踊らされたのです。おそらく彼は事情を知らずにその役を引き受けたのです」

「すると、ホシは宮田と知合いだったというわけか」

「もちろんです。彼は、そんなことを頼まれたのですから、よほどの昵懇者だったと思います」

「ありがとう」

今西は思わず吉村に礼を言った。

「それは、いいところに気がついてくれた。よく、それを考えてくれたな」

「いや」

電話の吉村の声は照れくさそうだった。

「ふいと、偶然に思いついたのですよ。それをそのまま今西さんにお伝えしただけです。まだ、ぼくもよく考えていませんから、間違っているかもしれません」

「いや、それにしても、ぼくには、たいへん参考になった」

「それを聞いてぼくも嬉しいです。いつか、またお会いして、このことをゆっくり話しましょう」

電話はきれた。

今西は背を屈めて、机の引出しから半分に切った煙草を取り出し、古びた竹細工のパイプにつぎ足してマッチをすった。

そのパイプは、三年前、妻といっしょに江ノ島に行ったとき買ってきたものだった。

彼は、吉村が電話で言った内容を、煙を吐きながら考えていた。

宮田邦郎が亀田に行った理由はわかった。おそらく、それは吉村が推定したとおりであろう。

すると、犯人についての想像がある。一つは、犯人が絶えず蒲田殺人事件に注意していたこと。次に宮田をその引きつけ役に使うからには、宮田とよほど親しい友人であったということ(ただし、この場合、宮田は、自分のやる演技のほんとうの意味を知らなかった)。最後に、犯人は東北の人間ではなく、別な地方の人間であったということ。

事実を隠すには、それと全然逆な方向に人の目を向けさせるのが常識的だ。

この場合、犯人が別な地方人だからこそ、東北の方に捜査の目を向けさせたといえる。

もう一つは、宮田の死である。

宮田は、最近になってほんとうの事実を知ったのではあるまいか。彼は、そのことを今西に話したかったのであろう。だが、それをすぐ言うには重大すぎた。彼が一日の猶予を求めたのは、そのせいである。

今西が宮田に求めたのは、自殺した成瀬リエ子についてだったが、宮田は成瀬リエ子のことを打ちあけるのに関連して、その重大なことも打ちあけたかったのではあるまいか。

今西は、考えながら紙の上にメモをとった。それは、①②③④というふうに項目を分けた。

彼は額に手を当てて、自分の書いたメモにじっと見入った。それから更に深いところまで考えこもうとした。

だが、この場合、もっとも障害になるのは、宮田の死である。

彼の死は殺人事件ではなかった。もし、それが、他殺だったら、犯人への手がかりを求めることができる。だが、これは厳とした自然死なのだ。

解剖までやっている。そして、心臓麻痺に間違いないのだ。宮田がふだんから心臓が弱かったことは周囲の人たちも知っていたし、経験の深い監察医が証明したことだった。

今西の不審は、ただ、この俳優の死があまりにも時間的に合いすぎるということだった。

だが、これも偶然といってしまえばそれまでだ。まさに監察医が言ったように、心臓麻痺は、時を選ばず、ところを選ばずして起こる。

次に大事なのは④の項目（犯人は東北のものではない）というところだ。今西の頭にはさまざまな思考が錯綜した。彼は東北とは全く反対の、島根県仁多郡仁多町亀嵩が浮かぶ。東北弁とよく似た言葉を使う地方だ。今年の暑い最中今西が長い汽車の旅で踏んだ土地だ。だが、そこには何があったのか。

何もありはしなかった。

犯罪の根源と思われるようなものの欠片も得られなかった。

もう一つ、②の項を見た。成瀬リエ子のことである。彼女のことに関連して、彼は何か重大なことをしゃべろうとした。そうだ、成瀬リエ子が犯人から頼まれて、血染めのスポーツシャツを中央線にばらまいた。このことでもわかるように、彼女と犯人とは特別な関係にあり、さらに宮田邦郎がそれを知っていたということにもなる。

宮田の死は今西に打撃だった。なぜ、彼はこんな大事なときに死んでしまったのか。

彼の死が自然死であることには疑いをいれないが、その時間からみてあきらかに自然のなせる「他殺」であった。

2

家に帰ってみると、川口の妹が遊びにきていた。妹は妻と笑いあっていた。

「兄さん、今晩は」

今西は洋服を着物に着替えた。

「今日は何だい？」

今西は妹の前にすわって茶を飲んだ。

「日劇の招待券をもらいましたので、その帰りですよ」

「道理で、今日はおまえの顔色がいいと思った。夫婦喧嘩(げんか)したのなら、すぐわかる」

「あら、いやだ。わたしだって、そうはしませんよ」

妹は笑いながら今西の顔を見上げた。

「兄さん、疲れたような顔をしているわ」

「そうか」

「お仕事がお忙しいの？」

「まあね」

「でも、今日は早かったじゃないの？」

妻が横から言った。

「年だな、疲れたよ」

「気をつけないといけませんわ」

妹はそう言っていたが、日劇を見たあとなのでひどく快活だった。

今西は気が重かった。その屈託が顔に現われる。妻と妹が笑いながら話している中にはいっていけなかった。

彼は次の六畳の座敷にはいった。粗末な机が置いてある。簡単な本箱には警察関係の図書があるだけだった。小説などあまり読まない男である。

今西は引出しから手帳を出した。これには、心覚えのことが書いてある。彼はそれを繰って、いつかの、亀嵩に行ったところを読み返してみた。

この気持ちになったのは、宮田邦郎が東北の方に妙な演技をやりにいったことがわかったからだ。吉村も言うとおり、それが犯人の演出だとしたら、犯人は東北の人間ではない。

ここで、ふたたび今西の頭に島根県の山村がよみがえってくる。東北弁に似た言葉と「カメダ」の名前。それは、どうしてもこの土地に求めねばならなかった。被害者もそこで長いこと巡査をしていた男なのだ。

今西は手帳に目を落とした。亀嵩で聞いた被害者三木謙一の巡査時代の話である。

三木謙一は、だれからも愛された、仏さまのように人のいい男である。親切だし、実子がなかったせいか、世話好きでもあった。

妻は、三木謙一が三成署に転勤したとき死んでいる。現在、三木謙一の悪口はだれも言っていない。聞けば聞くほど、彼を称賛する声ばかりだった。

たとえば、三木謙一は働く婦人のために託児所を作った。そのため寄付を募り、友人や篤志家の間を駆けずりまわった。その託児所を寺にこしらえて、皆から便利がられた。

村民が生活苦のため、病人が医者にもかかれず、薬代も払えないでいると、三木謙一は医者に頼んで治療代を延ばしてもらい、薬代は自分の身銭を切った。わずかな給料だったが、その中での支払いである。

病弱な乞食が迷いこむと、これを保護することもあった。

この地方は炭を焼くものが多い。また山にはいって木を伐採するため、一冬山中で暮らす者もある。あるとき樵夫が山奥で急病にかかって倒れたとき、三木謙一はその病人を背負い、難儀な山坂を越えて医者のところに運んだこともある。

それだけではない。村に紛争が起こると、そこへ行って和解を計り、家庭に悩みがあると、その家に行って相談にのったりした。

このようなことを、いま改めてメモで読んでみると、今西栄太郎は、宮沢賢治の詩の一節を思い出すのだ。

「東ニ病気ノコドモアレバ
行ッテ看病シテヤリ
西ニツカレタ母アレバ
行ッテソノ稲ノ束ヲ負イ
南ニ死ニソウナ人アレバ
行ッテコワガラナクテモイイト言イ
北ニケンカヤソショウガアレバ
ツマラナイカラヤメロト言イ
ヒデリノトキハナミダヲナガシ

サムサノナツハ……」

三木謙一は、この詩にあるとおりの男だったに違いない。彼こそは、山村の駐在巡査として、どの都会の警察官よりも立派なことをしたのだ。

同じ警察の人間として、今西栄太郎はこの上ない敬意を、三木謙一にいだかないわけにはゆかなかった。

このような立派な人を殺した犯人は、いったい、どのような人間であろう。

今西栄太郎は、このメモから、ただ三木謙一の善行を発見しただけだった。

今西は被害者の調査に現地に行ったのだが、そこで聞いて帰ったものは、犯罪とは少しも縁のない被害者の履歴ばかりだった。この土地では三木謙一殺害に関する犯罪の因子の発見はできなかった。

つまり、三木謙一には暗い面が少しもないのだ。彼が怨恨を受けるような理由は、塵ほども見いだされない。

今西栄太郎は手帳をそこに置いて、六畳の畳の上にひっくり返った。後頭部に両腕を組んで手枕にした。天井は煤けている。隣の部屋からは、女房と妹の笑い声がまだつづいている。近くの角からはバスの通過する響きが伝わってきた。

畳に寝ていた今西は、思い出したように起きあがって隣の部屋に行った。

妻と妹は、まだおしゃべりをつづけている。

「兄さん、ここにすわって、いっしょに話したらどう？」

妹はすすめた。

「いや、おれはちょっと用がある」

今西は、ハンガーに吊りさがった洋服のポケットから小さな紙を取り出した。まだ、洋服ダンスを買えないので、洋服はハンガーの上からビニールのカバーを掛けている始末だ。

彼は元の部屋にかえった。

紙は宮田邦郎が死んだ地点、世田谷の畑の中で拾ったものだ。

失業保険金の一覧表である。

これが、宮田邦郎の死と関係があるかどうかはまだわからない。偶然に落ちていたのかもしれないのだ。

何のへんてつもない数字だ。これで見ると、わが国の失業保険金額は、しだいに増加の一途をたどっている。それだけ、世の中が不景気になっている。昭和二十九年といえば、朝鮮戦争が終わった翌年だ。特需ブームが終わって中小工場が、ばたばたと閉鎖したころだ。失業者が多くなっているのはそのためであろう。数字がそれを示している。

こういう意味から眺めていると、数字もなかなか興味はあるが、それは事件とは関係のないことだ。

これを見つけた吉村は、この表を書いた人間が、宮田邦郎といっしょだったのではないかと推定した。それも一理ある考え方だ。この紙は雨に打たれた形跡がない。宮田が死んだ日から二三日前の晩は東京は雨だったはずだ。だから、この紙が宮田邦郎と関連していると考えるのは、たいそうな見当違いでもない。

しかし、今西は、宮田が立ち寄った先は、今西に打ちあけるはずの重大な話に関連していると考えている。こんな統計を書くような労働関係や、社会学に興味を持つ人間のところではあるまい。

ともかく、この紙は一応保管しておこう。役に立つかたたないかは別問題だ。彼は紙を畳んで、それを三木謙一のことをメモした手帳の間にはさんだ。

妻が晩飯の用意ができたといって呼びにきた。子供は早寝をしたので、今西は妹と三人で食事をした。

「いただいてすぐで申しわけありませんが、わたし、遅くなるからもうこれで帰ります。日劇見物で朝から出ているんですから」

妹は、そわそわしていた。

「じゃあ、そこいらまで散歩がてら行ってやるよ」

「いいえ、結構だわ。いつもですから」

「いや、おれもちょっと歩いてみたい」

実際、頭の中がくさくさしていた。宵の街を歩いて少し気を晴らしたかった。

妻もいっしょに行くといったので、また三人で近くの駅まで行くことにした。

途中のアパートの前まで来て、妻は妹に、最近このアパートで若い女の自殺者があったことを話した。

「困るわね。そんな人が出ると」

妹は、アパートの経営者の立場から言った。

「家にも若い女の人がいるけれど、大丈夫かしら？」

妹は、アパートの自殺話を聞いて、そんなことを呟いた。

「ああ、この間、越してきたという人ね？」

妻が言った。

「そうよ、義姉さん」

「バーの女給さんだと言ったでしょう？」

「そうなの。毎晩、遅くなって帰ってくるわ。でも、わりとちゃんとしているの」

「お客さんに送られてくるということはないの？」

「さあ、それはわからないけれど。とにかく、家の玄関をはいってくるときは、いつも一人だわ。酒に酔っぱらっていても、気を締めているのか、ちゃんとしているわ」

「感心なのね」

「ええ、でも、あんな商売でしょう。変な騒動が起こると困るわ」

「そういう人なら大丈夫でしょう」

「そうは思っているんだけど、今のような話を聞くと心配だわ」

明るい街の灯の下を通った。

「でもね、義姉さん。その女給さん、ちょっと感心なのよ」

と、妹は言った。

「とても、むずかしい本を読んでいるの」

「何よ、それ？」

「何だか、理屈っぽい本だわ。この間も、わたしがちょいと用事があってはいったら、その時は新聞を切り抜いていたの。のぞいてみると、音楽の評論だったわ」

「音楽に趣味があるのかしら？」

「いいえ、音楽には全然趣味はないんだって」

「へえ、じゃあ、どうしてそんなものを切り抜くのかしら？」

「何でも、書いている批評がおもしろいんですって。でも、読ませてもらったら、チンプンカンプンでわたしにはわからなかったわ」

その声が今西の耳にはいった。

「おい」

彼は妹を呼んだ。

「その批評というのは、ミュージック・コンクレートのことではないか？」

「ああ、そうそう、そうだったわ。兄さん、よく知っているのね？」

妹は、びっくりしていた。

「うん、ちょっとね。で、その娘は音楽に興味がないといいながら、そんなものを読んでいたのか？」

「ええ、書いた人がとても頭のいい、りっぱな人なんですって」

「それは、関川重雄(せきがわしげお)という人だろう？」

「おどろいたわ。兄さん、何もかもよくわかっているのね」

今西は黙った。今の若い連中は関川重雄をそれほど崇拝しているのだろうか。

「その、むずかしい本って、どんな本だい？」

「何だか、わたしにはよくわからないわ。でも、その関川さんという人の本が、二三冊あったわ」

「その女給さんは、いつもそういうかたい本を読んでいるのか？」

「そうでもないわ。大衆的な雑誌も読んでいるわ」

「名前は？」

「三浦恵美子(みうらえみこ)よ」

「おい」

と、今西は言った。

「今度、おまえの家に遊びに行くよ。そして、その女給さんをさりげなくおれに会わせてくれよ」

3

今西栄太郎が、川口の妹のところに行ったのは、その翌る日だった。

二年前に建てた家で、外は、モルタル塗りになっている。建坪は二階をいれて五十坪ばかりで、それを八室に区切ってアパートにしていた。

玄関をはいると、二階へ上がる階段がすぐドアから右手についている。階下は、まん中に廊下があって、部屋が両側に分かれていた。妹の部屋は最初の右側だった。

「あら、兄さん、さっそくね」

妹は今西の顔を見て、びっくりしていた。

「ああ、ついそこの赤羽まで来たからね」

「まあ、そう。昨夜はお邪魔さまでした」

「庄さんは会社かい？」

義弟のことをきいた。

「ええ……。いまお茶をいれます」

「こんな物を買ってきたよ」

今西はケーキのはいった包みを出した。

「ご馳走さま」

「ちょっと待ってくれ」

「何ですの？」

「昨夜、おまえが話していた、ほら、ここにいる女給さんのことだよ。ちょっと、おれにさりげなく会わせてくれないか」

「いやに熱心なのね。何か事件の心当たりなの？」

「うむ。いや、何でもないが、ちょっと知らん顔で会ってみたい。おまえは、兄が警察に出ているなどと言っていないだろうな？」

「そんなこと、言うもんですか。兄貴が刑事ですと言うと、みんな気持ちわるがって部屋を逃げ出すわ」

「おいおい、そう言うなよ。これでも、人はいいんだからな」

「それはそうだけど。でも知らない人は兄さんの職業を聞くと、気味がわるいように思うのよ」

「まあいい。とにかく、その女給さんをここに呼んでくれ。お茶でもはいったと誘うと、来てくれるだろう。まだいるかい？」

「ええ、今が二時ですから、お洗濯(せんたく)か何かしているころだと思います。銀座に出て行くのが五時ごろですからね」

「よしきた。おれが鉄瓶(てつびん)のほうをみてるよ」

今西に押し出されるようにして、妹は部屋を出ていった。

その間、今西はちょっと落ちつかなかった。彼は自分のすわる場所を二度も変えた。

ほどなく廊下に二人ぶんの足音が聞こえた。

「兄さん、お連れしましたよ」

妹の後ろには、クリーム色のセーターを着た若い女が従っていた。

「さあ、どうぞ」

今西は、できるだけ顔を和らげて愛想よく招じた。

「兄ですの。今日ひさしぶりに来ましたの。ちょうど、お茶をいれたところですから」

「すみません」

若い女は、素直に部屋にはいってきた。そして、いつもお世話になっています、と挨拶した。

「さあ、どうぞ。こちらこそ妹が厄介になっています」

今西は、笑っている目から、じっと女給の顔を観察した。

「お仕事のほうは、お忙しいんですか？」

今西は妹の止宿人に、笑いかけながらきいた。

「いいえ、そうでもありません」

女給は、かわいい顔をしていた。二十四五だが、頰のあたりに幼い線が残っている。

「たいへんですね。今から出勤ですか？」

「ええ、もう少しして出掛けます」

「夜、遅くなるのでは、帰りが大変ですな」

「ええ、でも、もう慣れましたから」

「こちらに移ってらっしゃる前は、どこにお住まいでしたか？」

「あの……」

恵美子は、返事を瞬間に躊躇した。それは一度言いかけたが、あわてて急に考えた様子だった。

「あの……、いろいろと移りましたから」

「なるほど。やはり、銀座のほうの便利を考えたからでしょうな。ここに来られるすぐ前の家は便利がよかったですか？」

「あの……、麻布のほうでしたわ」

「麻布ですか。あの辺はいいとこですね。銀座にも近いし……」

「でも、借りているアパートに事情が起こって、よそにお売りになったんです。それで、こちらに移ったのですわ。ここからでも、電車ではそれほど時間がかからないから、思ったより便利です」

「ほんとうですわ」

と、横から妹が口を入れた。

「川口というと、東京の人は、ずいぶん遠方のように思われますけど、かえって東京の郊外よりは、ずっと近いんですよ。電車で都心まで三十分しかかからないんですもの」

「しかし、なんですな」

と、今西は何となくお茶を飲みながらつづけた。

「終電車に乗り遅れることもあるでしょう？」

「そんなことはめったにないんです。ママさんもわたしがこちらだと知っているものですから、なるべく、終電には間に合うように早く帰してくれるんです」

「そうですか。しかし、酔っぱらいの客にねばられているようなときは困るでしょうね？」

「ええ、そういうこともあります。でも、そんな時は、友だちがさりげなく代わってくれますから」

「そうですか。どうです、近ごろのバーのお客さんの様子は？」

「うちの店は、わりとおとなしい方ばかりいらっしゃいます。それで助かるんですけど」

「ぼくは、そんなところに行ったこともないし、また、行くだけの金もないのでよくわからないが」

と、今西は苦笑しながら言った。

「なんだそうですな、近ごろのバーでもキャバレーでも、社用族でないとモテないそうじゃありませんか？」

「いいえ、そんなこともありませんわ。でも、社用さんだとお金の方が確実だから、経営者も歓迎するんです。普通の人だとやはり掛が多くなり、その集金が大変ですわ。それがみんな係りの女給の責任になりますから」

「なるほどね。お酒を飲んだり、おもしろおかしく話の相手になっていても、なかなかそういう面でむずかしいですな」

今西はここで口調を変えた。

「ときに、あなたは音楽のほうがお好きですか？」

「音楽ですって？」

恵美子は今西の言葉にびっくりしたような目をした。

「いいえ、それほど好きというほどではありません。わたしなんか、よくわからないんです。好きだといってもジャズぐらいですわ」

恵美子が、おどろいた目をしたのは、今西のような男が、突然、音楽を話題にしたからだった。

「そうですか。いや、ぼくなんか音楽が全然わからないんですよ。しかし、なんですな。近ごろ、ずいぶん、新しい音楽が出てきたそうですね。あなたは、ミュージック・コンクレートというのを知っていますか？」

「名前は聞いたことがありますわ」

恵美子は、とっさに答えた。その目は瞬間に光を持った。

「どういう音楽ですか？」

「わたしもよく知りませんが」

恵美子は、たちまち困った顔になった。

「ただ、名前だけ知っているんです」

「ほう、そうですか。あなたもぼくも同じだ。いや、実は、昨日、新聞をひょいと読んでみると、そういう言葉につきあたったんです。何ですか、ぼくらぐらいになると、次から次に片仮名のわからない文字が現われて、めんくらいますよ。そのとき、ちょっと暇だったものだから、ミュージック・コンクレートとはどんなものかと思って、読んだんですが、何でもそれは批評みたいでしたよ。ところが、読んでみると、何のことか、さっぱりわからない。書いている文章もむずかしかったが、その意味もたいへん高尚らしいんです」

「ああ、それは、関川先生が書いたんですわ」

恵美子は、急にいきいきとなって叫んだ。

「わたしもその文章を読みましたわ」

「へえ、あなたも？」

今西は意外そうな顔をみせた。

「これはおどろきました。あなたは、ああいうものをちゃんと理解できるんですね？」

「いいえ、わたしにもむずかしくてわかりませんでした。けれど、関川先生の書かれたものは、ひととおり読んでいるんです」

「ほう、何かそれは個人的な知合いからですか？」

恵美子は目を戸惑わせた。返事が出るにはちょっと暇がかかった。

「いいえ、たまにお店にいらっしゃるんです。それで、存じあげているんですわ」

「そうですか……。いや、実は、ぼくもこの関川さんを知っているんですよ」

「えっ？」

恵美子は、びっくりした顔をした。

「どうして、ご存じなんですか？」

「いや、個人的には全然、関係はありません。お話ししたこともないし、先方だって、ぼくのことをご存じないでしょう。けれど、ぼくがいつぞや、秋田県に行ったとき、同じ駅で、その関川さんに偶然お目にかかったんですよ。そのときは、関川さんだけではなかったんですがね。大勢、お友だちの方がいっしょでしたが、とにかく、そういう旅先で出会った人には、何というか、あとまで特別な親しさを感ずるわけですな」

「そんなことがあったんですか？」

恵美子の瞳（ひとみ）が、今西に急に好意的になった。

「若い人はいいですな」

今西は、当時のことを回想するように言った。

「あのときは、四五人、駅にいましたがね。何でも、ロケット見学をしての帰りだという話でしたが、みんな、元気いっぱいでしたよ」

「そうですか」

恵美子は目を輝かせて聞いていた。

「そのなかに関川さんという人がいたんです。いや、ぼくは顔を知らなかったが、いっしょにいた連れがよく知っていましてね、教えてくれたんです。その後も新聞でときどき顔写真が出る。そのたびになつかしく思ったんですよ。ですから、あの新聞の批評もそんなわけで内容はわからないが、ぼくも読みました」

「そんなことがあったんですか？」

恵美子は軽い溜息(ためいき)をついた。

「関川さんという人は、どんな人です？　お店にときどきいらっしゃるそうですが」

「とても、おとなしい方ですわ」

恵美子は、うっとりした調子で言った。

「それは、ああいう方はほかのお客さまと違います。静かだし、そのお話に、わたしたちはとても教えられるところがあるんです」

「いい人がお店に来ますね」

と、今西は言った。

「あなたは、関川さんと親しいのですか？」

「いいえ、それほど親しくはしていません」

このときの恵美子の顔に、軽い狼狽(ろうばい)が走った。

「ただ、お店のお客さまとして存じあげているんです」

「そうですか。ぼくらにはよくわからないが、ああいう芸術家になると、日常の生活はどうなんでしょう。始終本を読んだり、考えたり、そんな生活でしょうな？」

「そうかもしれませんわ。ああいうお仕事になると、勉強が第一ですから」

「そうですね。ぼくは素人で、全然、知識がないが、批評家になると、音楽だけでなく、ほかのこともやらされるんでしょうね？」

「それは、いろいろですわ。ことに、関川先生は、ほんとうは文芸批評から出発なさった方なんです。でも、あの方の才能は広いから、文学だけでなく、絵画も、音楽も、それから社会批評もなさっています。なんていいますか、たいへん領域が広いんです」

「なるほど、お若いのに、それはたいへんな勉強だ」

今西は感心した。

「なんにもございませんが」

と、妹がハシリのみかんを持ってきた。

「あら、もう、結構ですわ」

恵美子はあわてて腕時計を眺めた。

「わたしも、もう、そろそろ支度をしなきゃなんない時間ですから」

「まあ、よろしいじゃありませんか」

「はい」

恵美子は、それでもすすめられてみかんを取った。

「おいしいみかんですわね」

彼女は、それを食べながらほめた。

その間にも話は続いた。しかし、もう、関川のことには触れなかった。

「ご馳走さま」

恵美子は、丁寧に挨拶して立ちあがっていった。今西はその後ろ姿を見ていた。

「おい」

今西は妹を呼んだ。

「なかなか、いい女給さんだな」

「そうでしょう」

妹は、今西の横にすわった。

「おとなしい娘ですよ。銀座のバーの女給だとは思えませんよ」

「そうだな。しかし、あれは、関川という人にずいぶん好意をもっているよ」

「そうですね。わたしも、それは感じましたわ」

「店にときどき来る客だと言っていたが、どうも、それだけではないように思う」

「あら、そうかしら」

「おまえ、気がつかなかったか？」

「何ですの？」

「あの女給さん、妊娠しているよ」

「え？」

妹は、びっくりした目で兄の顔を見返した。

「おれにはそんな感じがするが、違うかな？」

妹は、すぐに言葉に出さないで、呆れたように兄の方を向いたままだった。

「兄さん」

と、妹は軽い溜息をついて言った。

「よくわかるのね、男のくせに」

「やっぱり、そうか」

「ご本人は何にも言わないけれど、実は、わたしもそうじゃないかと思ってたの」

「そうか」

「兄さん、どうしてわかったの？」

「そりゃあ、何となくそんな感じがしたからさ。はじめて見た顔だが、ちょっと、きつい表情だった。おれは想像したんだが、あのひとは、ふだんは、もっとやさしい顔じゃないかな。それに、みかんをみんな食べてしまったよ。おれは酸っぱくて食べられなかったが」

「ほんとだわ。まだみかんは甘味がないのにね」

「おまえにも心当たりがあったのか？」

「ないことはないわ。あのひと、いつか、自分の部屋で吐いていたようだったわ。わたしは、そのときは、なにか食べものに中毒ったのかと思っていたのだけど、その後も、少し様子がおかしいの」

「そうか」

「ねえ、兄さん、いったい、だれの子でしょう。やっぱり、ああいう商売ですから、バーに来る客の胤(たね)をやどしたのかしら？」

「さあ」

今西は、煙草(たばこ)をすいながら、思案顔をしていた。

「その、関川さんという人がおかしいんじゃない？」

妹が言った。

「そんなことが、こっちにわかるもんか」

と、兄は少したしなめるように言った。

「めったなことは言えないよ」

「それはそうだけど、ここだけの話だわ」

それからしばらくすると、部屋の表で軽くノックの音が聞こえた。

いま、噂(うわさ)になった恵美子が外出着に着替えて、廊下に膝(ひざ)をついていた。

「それでは、行ってまいります。どうも失礼いたしました」

と、今西に挨拶した。

「いや、こりゃあ、どうも」

今西はすわりなおした。

「ご苦労さまです」

「気をつけて行ってくださいね」

妹が言葉を添えた。

恵美子をそこで見送っていた妹が、兄を振り返った。

「そんな目で見るせいかもしれないけど、やっぱり、そうらしいわね」

4

田園調布の和賀英良の家は、戦前からの建物で、あまり広い家ではない。

もっとも、内部は彼の気に入ったように改造されている。二年ばかり前に買ったものだった。外面から見ると、古びていて、近くの広壮な邸宅にくらべると、いかにも貧弱に見えた。

オフ・ホワイトのスーツを着こなした田所佐知子が、玄関のベルを押すと、五十ばかりの手伝いの女が出てきた。

「おや、いらっしゃいまし」

中年女は、佐知子に丁寧に頭を下げた。

「今日は」

佐知子は軽く会釈して、

「英良さん、いる?」

「いらっしゃいます。どうぞ」

やはり古い玄関にはいった。それからすぐ廊下がつづき、増築した別棟に案内した。

別棟といっても、坪数にすると五坪にも足りない。だが外側はコンクリートの壁になっていた。窓が小さい。

手伝いの女は、そこまで行かないうちに、据(す)えつけてあるインターフォンを押さえた。

「ただ今、田所さまがいらっしゃいました」

声が返った。

「こちらへ通してくれ」

廊下の突き当たりが、その別棟のドアである。手伝い女は、軽くノックしてドアをあけ、中にはいらないで、佐知子の脇(わき)に退き、

「どうぞ」

と招じた。

佐知子は内部(なか)にはいった。

ここは、和賀英良の仕事場である。机と本棚(ほんだな)があるのは普通のとおりだが、変わっているのは、半分仕切られた向こう側に機械類が置かれてあることだった。まるで放送局のスタジオの調整室のように、さまざまな器具が、ごたごたと並んでいる。

和賀英良は、それらの機械を背後にして、テープレコーダーをかけていた。

「やあ、いらっしゃい」

和賀は、テープレコーダーを止めて立ちあがった。

セーターの衿(えり)からのぞいた、しゃれたチェックのシャツは、先日、佐知子が見立てて贈ったものである。

「今日は」

しゃれた椅子が三四脚、その調整室めいた区切りの外に置いてある。

そこは簡単なテーブルが置いてあり、スタジオの談話室みたいな格好になっていた。

「お仕事だったんでしょ？」

「いや、いいんです」

和賀は、佐知子に近づくと、その肩を抱いた。

佐知子は顔を仰向け、許婚者の接吻を長いこと受けていた。

外からの声は聞こえない。

というのは、この部屋は彼の音をつくる特別な仕事場だから、すべての壁が完全な防音装置になっていたからである。

「お仕事の途中、お邪魔して悪かったんじゃない？」

接吻のあと、彼女はハンドバッグからハンカチを取り出して、男の唇からルージュをぬぐってやりながら言った。

「いや、ちょうどひと休みしようと思っていたところです。まあ、お掛けください」

椅子もテーブルも、しゃれたデザインだった。外見のみすぼらしい家にもかかわらず、室内の装飾は贅沢なのだ。

佐知子が煙草を口にくわえた。和賀は、すばやくライターを鳴らした。

「もし、お仕事の都合がよろしかったら、いっしょに外に出てみません？」

「ええ、それは結構ですが、何かあるのですか？」

「父がいま霽風園に行っています。お客さまをしているんですけれど、あと、三十分もしたら、わたしたちにご馳走してくれると言っていますわ」

「そりゃあ、ありがたいですな」

和賀は微笑した。

「ご馳走ならどこへでも出掛けますよ」

「そう、よかったわ」

「しかし、いま何時です？」

「四時ですわ。何かご予定がございますの？」

「いや、そのあとのことを考えているんです。久しぶりだから、踊りにでも行きましょうか？」

「ほんとにしばらくぶりですわ」

「ちょっと待ってください。あとのくぎりをつけます」

和賀は、テープレコーダーの方へ戻った。

「なんですの？」

「いま構成してみたのを再生しているんです。一部分ですがね、聞いてくれますか？」

「ええ、ぜひ。今度のテーマは何ですの？」

「人間の生命感、といったものを出したいと思っています。そのため音の持っているエネルギーといったもの、それを集成してみたんです。たとえば、群衆がラッシュアワーに国電に殺到しているときの声だとか、強風のうなりだとか、工場の轟音、それも、機械から直接ではなく、マイクを工場の建物のすぐ横の地面を掘って深くさし入れ、振動といったものまで録音してみました。これを分解したり複合したりして調子を整えました。うまくいったかどうか、一つ聞いていただきましょうか」

和賀はテープをまわした。

一種異様な音が出はじめた。それは、金属性と思えるし、鈍い腹に響くような音でもあった。管弦楽器というこれまでの媒体物を使わずに、新しい音を造るというのが作曲家和賀英良の主張であった。聞いたかぎりでは、普通の人間にはメロディーも美的官能も感じられなかった。種々雑多の音が、機械的な操作によって、のろく、早く、強く、弱く、長く、短く、いろいろな変化で波打って出るのだった。そこには普通の音楽的な陶酔はなかった。無秩序で晦渋な音響が、聴者の知能を意味ありげに刺激していた。

「どうです」

和賀英良は、エンジニアの研究室のように並べられた機械類を背に、佐知子を眺めた。彼女はうっとりと聞いていたが、すぐ称賛した。

「すてきだわ、それ、きっといいものになりそうよ！」

和賀英良は、仕立てのいいグレイの背広に着替えると、佐知子と並んで表に出た。上背があって肩が広いので、背広がよく似合った。表には佐知子の車が待っている。

「帰っていいわ」

と、彼女は自分の運転手に言った。

「わたしは、英良さんの車に乗せていただくから」

運転手はおじぎをして、彼女の前から走り過ぎた。

和賀英良は、ガレージのほうへ行って、車を運転してきた。中型車である。

佐知子の前にとめて、

「どうぞ」

と、ていねいに座席のドアをあけた。

「わたし、英良さんの横に乗せていただくわ」

和賀英良は、運転席の横のドアを改めて開いた。

街が二人の目の前を流れてゆく。

「英良さん。今度、いっしょにドライブしたいわね」

「そうですね。気候はいいし、行ってみたいですな」

和賀はハンドルを動かしながら、目を正面に向けて言った。

「奥多摩(おくたま)なんか、きれいだそうだわ。でも、英良さんはお忙しいんでしょ？」

「いや、時間の都合をつけますよ。今度、予定を考えて約束しましょう」

「うれしいわ」

車は目的地に着くまで一時間以上かかった。近ごろの東京の交通は麻痺(まひ)状態で、ゴー・ストップがやたらに多く、少しおもだった交差点になると、信号が四回ぐらい変わらないと通過ができない。トラック、バス、オート三輪車、タクシーなど雑多な車が、狭い道にひしめいて長い行列を作る。

和賀の車は、ようやく、霽風園の門の中にはいった。元公爵家だったこの邸宅は、政府指定の迎賓館にもなっていて、広大な面積は、東京のまん中とも思われない幽邃な庭園をかたちづくっている。

車寄せにとまると、玄関には、団体名の懇親会の札が幾つも並んでいた。机に白い布を掛けて、受付の者がすわっている。佐知子が降りると、彼女のほうへ男たちの目がいっせいに向いた。

「いらっしゃいまし」

蝶ネクタイの男がすすみ出て、和賀と佐知子とにうやうやしく腰をかがめた。

「お父さま、どこ?」

「はい、湘南亭にいらっしゃいます」

「遠いのね」

「はい、申しわけありません」

使用人は田所佐知子を知っていた。

「ご案内いたしましょう」

「いいわ、勝手がわかってるから」

「恐れ入ります」

本館の中庭を通ると、そこからはゆるやかな起伏を繰り返して斜面にはいっている。丘が一望の中にあった。森があり、木立ちがあり、泉水があり、古い五重塔がある。

「英良さん」

佐知子は、和賀の腕を求めた。

二人は風雅(ふうが)な小径(こみち)をくだった。

散歩に出ている客が二人と出会い、おどろいたように佐知子の洗練された服装を振り返った。あたりが昏(く)れかけていた。

湘南亭はこの広大な庭が作っている丘の中腹にあり、そこまではなかなかの距離だった。途中に池、塔などをみて過ぎる。外人客がうろついていた。暗くなってきたので、蒼白(あおじろ)い照明灯がついて、広い芝生をきれいな色で浮かせていた。

湘南亭は茶室造りになっている。

佐知子が小さな門のところに来ると、

「ここで、ちょっと待ってて。わたし、パパにそう言ってくるわ」

佐知子は和賀を待たせて先にはいった。が、彼女はすぐにこにこして引き返してきた。

「ちょうどよかったわ。お客さま、さっき、お帰りになったばかりですって。パパ、わたしたちを待ってたわ」

「そうですか」

和賀は佐知子のあとについて庭石を伝った。四畳半の座敷で、老紳士が女中ふたりを相手に、酒を飲んでいた。前大臣田所重喜(しげよし)で、現在、会社の社長を二つと、重役無数を兼ねている。

田所重喜は、銀髪に、縁なし眼鏡の似合う端正な顔をしている。

新聞、雑誌にはその顔がたびたび出る。本人は写真で想像するよりも血色がよく、太っていた。

「パパ」

庭先から佐知子が呼んだ。

「いっしょに参りましたわ」

田所重喜は娘の後ろにいる和賀英良に目を向けた。

「おお、こっちにはいりたまえ」

和賀英良はおじぎをした。

「今日は、お邪魔します」

二人が揃(そろ)って靴を脱ぐと、女中がすぐに靴にかがみこんだ。

「あの、なんにいたしましょうか?」

と、田所重喜にきいた。

「君たち、何がいいかい? ぼくは、もうすんだんだがな」

「おなか、ペコペコよ。なんでもいいわ。ね、英良さん、あなた、どう?」

「ぼくも同じものにします」

田所重喜が笑って、

「勝手なものを注文してくれ」

「バーベキューなんか、どうかしら。ね、英良さん？」

「結構ですな」

「じゃ、バーベキュー。それに飲み物は、英良さんはスコッチの水割りがお好きなのよ。わたしは、ピンク・レディー」

「かしこまりました」

女中はそこを出た。

「どうも、ご無沙汰いたしました」

和賀英良は両手を畳について、田所重喜の前に頭を下げた。

「いや、こちらこそ」

田所重喜は眼鏡の奥の目を細めた。

「君にも、もっと会いたいんだがね。いろいろと用事の人ばかりに会って、なかなか時間がとれない。今日はちょうどよかった。さあ、そこにすわりたまえ」

田所重喜の目は、もう自分の婿を見るような表情だった。

「パパ、今日のお客さまはどなた？」

「うむ、今日かい？　今日のも政治家だ」

「また政治家ね。政治ってお金がかかるでしょう。つまらないわ。そんなお金を少し節約して、わたしたちの新居のために出してよ」

　佐知子は、ずけずけ言いながら、甘えるように父を見た。

「お支度ができました」

　女中が襖の際に膝を突いた。

「じゃ、そっちに移ろうか」

　田所重喜が言った。

「あら、お父さま。お食事はもうおすみになったんでしょう」

「ああ、食事は要らないがね。わしも君たちの仲間に入れてもらって酒を飲もう。今のうちから、そう邪魔者扱いにするな」

「あら、そんな意味じゃないんですけれど」

　佐知子は首をすくめて和賀英良を見た。

　三人が座敷を出ると、隣は広い土間になっていて囲炉裏がある。炭火がおこって、その上に串刺しになっている牛肉や豚肉が並べられてあった。女中二人が世話していた。煙がもうもうと天井まで立ちのぼっている。

「おいしそうね」

　囲炉裏を挟んで三人はすわった。

「和賀君」

「はい」

「乾杯といこう」

三人はコップを上げた。田所重喜はコップの中に日本酒、和賀英良はスコッチの水割り、佐知子はピンク・レディーだった。

「和賀君」

「はあ」

「どうだね、仕事のほうは？」

「ぼつぼつ、やっています」

「お父さま」

佐知子は横から言った。

「英良さん、とっても勉強家なのよ。わたしがお誘いしたときもお仕事なすってらしたの」

「いや、ちょっと、今度の新しい曲の実験をやっていたんです」

「電子音楽というのは、わしにはよくわからないが、今度、一つ、君の仕事場を見学させてもらおうかな」

「お待ちしております」

「お父さまったら、全然、音痴よ。音楽会にお誘いしても、ちっとも出てこないの。電子音楽なんか聞いても、きっと、チンプンカンプンだわ」

「チンプンカンプンといえば、この間、君の音楽批評が新聞に出ていたね。わしは読んだが、あれこそ全くわからなかった」

「関川さんが書いたんですわ」

　と、佐知子が注釈した。

「関川さんは、英良さんとヌーボー・グループっていうのを組織しているんです。そして、若い人たちで新しい芸術運動をやっているんですのよ」

「そうか、あの批評はほめているのかな、けなしているのかな」

「むしろ、けなしているほうでしょう」

　と、和賀が串刺しの肉を噛みながら答えた。

「関川さんは、辛辣な若手の批評家ですわ。近ごろ、ぐんぐん伸びてきたんです。でも、わたしからいうと、演技たっぷりで。のしてきた最初も、先輩を前において、その人を遠慮なくこきおろしたものですから、マスコミに注目されたんです。こんどの、あの批評だって、関川さんの演技がいっぱいですわ。つまり、自分の仲間でも、おれの筆にかかってはこうなんだぞ、という力みが見えるんです」

　田所重喜は、にこやかに聞いていた。

「そういうものかな」

　彼はうなずいた。

「いや、政界にもそういうことがあるよ。どこの世界も同じだな」

「やっぱり、人間だからなんでしょうか。でも、わたしは芸術家のほうが、もっと露骨のような気がしますわ」

「わしには、芸術家のことはよくわからんが、いろいろ、あるもんだな」

元大臣は鷹揚(おうよう)だった。

「ところで、和賀君」

と、そのふくよかな顔を音楽家に向けた。

「君のアメリカでの予定は、だいたい、見通しはついたかね？」

「はあ、だいたい、具体化してきたように思います」

「十一月に発(た)てそうかね？」

「はい、大丈夫のようです」

「いろいろ忙しいね」

「はあ、なにかと、準備がありますから。アメリカにジョージ・マッキンレイという男がいまして、このマッキンレイが、やはり、ぼくと同じように、各国の前衛音楽家と連絡しあっていて、そういう意味では、アメリカでは、彼が中心になっています」

「なるほど」

「その男と連絡がつきました。向こうの音楽会といいましても、ニューヨークでの檜(ひのき)舞台ですが、そこで、ぼくのリサイタルをやるということに決まりました。そのため作品を、少なくとも十曲ぐらいは制作しなければならない。今、それを懸命にやっているわけです」

「そこで認められると、どうなるの？」

「当然、向こうのレコード会社にも吹きこむことになるし、そういう、アメリカの高名な劇場でリサイタルをやることになると、一流の批評家の認識も得られるわけです。その結果、うまくいけば世界的な評価が得られるのではないかと思っています」

「まあ、しっかりやってくれたまえ」

田所重喜は将来の女婿を激励した。

「ぼくも、できるだけの援助はするよ」

「お父さま、わたしからもお願いしますわ」

佐知子は頼んだ。

「よしよし。さて、わしはこれからほかの会に行かなければならん」

田所重喜は腕時計を眺(なが)めて、

「では、お先に失敬するよ」

「そう」

若い二人は立って老人を亭の出口まで見送った。

「行ってらっしゃい」

「君たち、今日はこれからどこかに行くの？」

「ええ、いろいろ計画がありますの」

「そうか、遅くなるのかい？」

父親らしい目つきになった。

「いいえ、十時ごろまでには帰りますわ」

――霽風園から出ると、二人はまっすぐに赤坂のほうへ向かった。

ナイトクラブは、まだ客がそれほど混んでいなかった。ちょうど、ショウがあってフィリピン人が三人、マイクの前で歌いながら手拍子をとって踊っていた。

それがすむと、ホールが明るくなる。バンドがダンス曲を奏しはじめた。

和賀は佐知子に手を差しのべて、ホールに進んだ。曲は早いルンバだった。手をつなぎ、器用に足を動かしながら、佐知子は幸福そうに和賀に笑いかけていた。二人の体が密着したとき、彼女は、和賀の耳もとでささやいた。

「しあわせだわ」

第十章　恵美子

1

その喫茶店は、銀座裏の一角にあった。午前二時まで営業している。夜の十一時半を過ぎると、この店は特殊な客で占められる。

キャバレーやバーの女給たちが、勤めを終えてからここで一休みをするのだった。コーヒーをのんだり、菓子を取ったりして、帰宅の前のひととき、仕事の疲れを休める。

十一時半からしばらくの間、銀座界隈ではタクシーが拾えない。何百軒と集まっているバーやキャバレーから吐き出された客や女給たちが、一時に車を求めるのである。近ごろになって、この時間が白タクの稼ぎ時になっている。

この混雑を避けるために、十二時過ぎまでをこの喫茶店で待つ者もいた。

そのほか、客がひそかにわたりをつけた女給と、ここで落ちあうことにもなっていた。

だから、ここには普通の客は見られない。

店は小ぎれいにできている。

客席の入口に、ジューク・ボックスが置いてあった。女給が十円で音楽に親しんでいる。

客席は幾つにも分かれ、奥は深かった。女給と待ち合わせる客は、ほとんどが奥の席を求めた。

十月になったばかりで、女たちの服装もウールのスーツやワンピースに変わっている。

ドアを押してはいってきたのは、珍しく和服姿の恵美子であった。

彼女は店内を目で探し、奥の席でこちらに背中を向けている関川重雄を発見した。

ほかの客をはばかるように、顔を少し伏せて関川の前にすわった。

「お待ちどおさま」

黒いレースのショールをとると、彼女はうれしそうな微笑を彼に見せた。

「ずいぶん、お待ちになって？」

関川重雄は、ちらりと恵美子を見て、すぐまた視線をそらせた。照明が暗いせいか、暗い憂鬱な表情に見える。

「二十分待った」

コーヒーは、ほとんど茶碗の中で空になっていた。

「悪かったわ」

恵美子は、他人行儀に頭を下げた。

「気があせっていたんですけれど、いつまでもねばってる客があって、どうしても脱けられなかったんですわ。すみません」

女の子が注文を取りにきた。

「わたし、レモン・ティー」

女の子が去ると、恵美子は彼につづけた。

「お呼び出しして、ご迷惑じゃなかったかしら？」

相手に気をかねるような顔だった。

「忙しいからね」

と、関川は無愛想に言った。

「あんまりこういうことをしないで欲しいな」

「すみません」

彼女はまた詫びた。

「でも、どうしてもお話ししたかったんです」

「何のことだ？」

「いいえ、それはあとで言いますわ」

すぐに言えないのは、ちょうど、そのとき、女の子が紅茶を運んできたせいばかりではなかった。急に話せない複雑なためらいが彼女の顔に現われている。

「今、言えないのか？」

「ええ。あとでね……。そう、あなたに会ったら、お知らせしたいことがあったわ」

恵美子は、関川重雄に昼間電話してここまで足を運ばせたのだが、その用件をすぐに言い出さなかった。それには、彼女に一つの決心を要するようだった。

いま、彼女が関川に別なことを話しかけたのは、それを言い出すまでの予備的な話題だった。彼女の話したいこととは関係のない内容である。

「あなたと、秋田県の方で会ったという人に、わたし、会いましたわ。もうひと月も前のことだけど……」

これは、彼女にはそれほど重大とは思えない話題だったが、

「秋田県で？」

と、関川が、急に目をあげた。恵美子が意外に思ったほど、その目がおどろいていた。

「どんな人だね？」

「もう先(せん)、和賀さんなどとごいっしょに四五人づれで、秋田県の方にいらしたことがありましたわね？」

「ああ、T大のロケット研究所を見学に行ったときだ」

「そう、そのときですわ、何という名か知りませんが、その近くの駅で、あなたを見かけたというんです」

「ぼくの知っている人かい？」

関川は熱心だった。

「いいえ、あなたはご存じないわ。全然、関係のない人ですから」

「どうして、そんな話が出たんだい？」

「あなたの文章ののった新聞を読んだんだそうです。あなたの写真とお名前が出ていたので、そのおりのことを思い出したと言ってましたわ」

「店の客かい？」

「ううん、違うわ。わたしの間借りしているアパートのおばさんの、兄さんだそうです」

関川の声がちょっと途切れた。

「どうして、その人が君にそんな話をしたんだろう？」

「ミュージック・コンクレートの話から出たんですわ。あなたが和賀さんのを批評なすったでしょう。それで、わたしが関川先生を存じあげていると、つい、言ったものだから、それから話がはじまったんです」

「知っていると言ったのか？」

「心配なさらないで」

「あなたのことは、お店にお見えになるお客さまだと、言っておきましたから」

と、彼女は言った。

「まさか」

と、関川は真剣な目つきだった。

「ぼくと君との間を察してはいないだろうな？」

「いいえ」

彼女は男を安心させるように微笑した。

「そこまでわかるもんですか」

「ぼくのことを話すのは、どんな場合でもやめてくれ」

関川は機嫌の悪い声を出した。

「ええ、それは気をつけているんですけれど……」

彼女はすまなそうな顔をした。

「でも、あなたのことが話に出ると、つい嬉しくなっちゃうんです。これから気をつけますわ」

「いったい、その管理人のおばさんの兄貴というのは、どんな職業の人かい？」

ジューク・ボックスからはしのび泣くような女の唄声が流れていた。

「わたしも、おばさんに、そのことをきいたんですけれど」

恵美子は、アパートのおばさんの兄のことで関川に答えた。

「おばさん、はっきり言ってくれなかったんです。でも、とても親切そうな、いいおじさんでしたわ」

「で、いまでも、その人の職業は、よくわからないのかい？」

関川は、先をたずねた。

「いいえ、わかりましたわ。おばさんからではなく、アパートの人から、それとなく、ききだしたんです。そしたら、ちょっと意外でしたわ」

「何だったのだ？」

「警視庁の刑事さんですって」

「刑事？」

関川は、急に複雑な顔になった。

「そうなんですって。でも、そんなふうにはちっとも見えませんでしたわ。とても人当たりのいい、話し好きな、いい方でしたわ。今ごろの警察の人は、昔と違うんですってね」

恵美子はつづけた。

「お店にも、ときどき、警察の人が来ますけれど、とてもやさしいわ」

これには関川の返事はなかった。彼は、煙草（たばこ）を取り出し、火をつけて、考えるように黙っていた。

店には、客が入れかわっている。

待合わせの相手が来ると、連れだって出ていったり、そのあと、二三人連れではいってきたりする。十二時を過ぎた喫茶店は、宵(よい)のそれとは客種が全く違っている。

客のどの顔にも疲れがあった。話し声も小さかった。ジューク・ボックスのレコードが、小さく、細く、うつろに鳴っている。

「出よう」

と、先に言い出したのは関川だった。伝票も自分の手でつかんだ。

「ええ」

恵美子は、まだ残っている紅茶を見た。

「もう少し、ここにいません?」

「話なら、よそに行って聞こう」

「そう」

柔順だった。

「君が先に出て、タクシーを止めたまえ」

恵美子はうなずいて、こっそり席を立ち、店を出ていった。

関川は、二分遅れて立ちあがった。

ほかのボックスにいる客に顔を見られないようにうつむき、レジへ歩いた。

外へ出ると、恵美子がタクシーを止めて待っていた。

関川は先に乗った。

二人は、車の走る方向を見つめて、しばらく黙っていた。恵美子の手がこっそり伸びて関川の指を握ったが、彼からは強い反応はなかった。

「ねえ。あなたのことを言ったのはまずかったかしら？　もし、それでお気にさわってるんでしたら、ごめんなさい」

彼女は、男の暗い横顔をのぞいてあやまった。

「君」

と、しばらくして関川がぽつんと言った。

「今のアパートを引越すんだな」

関川の言葉を、恵美子は解しかねたようにききかえした。

「何とおっしゃったの？」

関川は虎ノ門あたりの灯が流れてくるのを眺めながら言った。

「そのアパートを引越すんだ」

「どうして？」

恵美子は目をまるくしていた。

「またですか？　たったこの間、移ったばかりじゃありませんか？　まだ、ふた月ですわ」

彼女は憂鬱そうな声になった。

「わたしが、おしゃべりしたことがいけなかったのかしら？　それで、他所に移るんですか？」

関川重雄は返事を与えなかった。その代わり、まずそうに煙草をすっていた。

自動車（くるま）は赤坂の通りに出て、灯の乏しい深夜近い街を走っていた。

「その刑事は」

と、関川はしばらくして言った。

「今まで、たびたび、アパートに来ていたかい？」

「わたしが越してきてからは、はじめてだったようです」

「君と話したときは、君の方で、その男に話しかけたのか？」

「いいえ、そうじゃありません。お茶がはいったからといって、おばさんが呼びにきたんです。それで行ってみると、その兄さんという人がすわっていました。わたしたち、それからお茶をいただきながら、そんな話になったんです」

「すると、その刑事という男が、君を呼びにやらせたんだな」

この言葉を恵美子は意外ととったらしい。

「まさか、そんなことはないと思うわ。ただの偶然ですわ。そこまで考えるのはどうかしら？」

「まあ、どっちでもいい」

関川は打ちきるように言った。

「とにかく、そんなアパートは、早く越してもらいたいな。ぼくが別なところを見つけるよ」

恵美子には男の考えがわかっていた。

以前のアパートは、学生に顔を見られたという理由で関川が移転を主張したのだ。今度も、アパートのおばさんの実兄が刑事をしていて、その人の口から関川の名前が話題に出たのを、彼は気にしているのだ。

しじゅう、自分との間を他人に知られないように、関川は極度に警戒している。もともと神経質な性格だったが、このことになると、彼は極端なくらいだった。

「あなたがお気にいらなければ、いまのアパートを出ますわ」

と、女は折れて言った。

恵美子は、男の言葉どおりにいつも従う自分を、ふと哀れに感じたらしい。男の態度は、彼女がこれから言い出したい目的に暗い翳(かげ)を投げていた。

関川は煙草を車の灰皿(はいざら)にこすりつけていた。

「夜はもう寒いくらいね」

恵美子は本心にないことを言った。

男が不機嫌な様子でいると、つい、それを直してもらいたくなる。特に、今夜は機嫌よくしてもらわねばならないのだ。

関川は、まだ黙っている。

赤坂のネオンの灯が見えてきた。

車は赤坂見附(あかさかみつけ)のほうに向かっていた。

右側に新しい大きなホテルがある。

「あら」

恵美子は窓の方を見ていたが、急に関川の膝(ひざ)を突っついた。

「あれ、和賀さんじゃありません？」

このホテルの隣にナイトクラブがあった。表だけが明るい。

高級車がそこに集まっていた。時刻なのでホールから出た客が帰るところだった。外国人が多い。西部劇まがいの赤い服を着たドアマンが、懐中電灯を振りながら車を呼んでいた。

その客の中に和賀英良の姿があったのだ。

「ほう」

関川ものぞいて言った。

「きれいな方とごいっしょね。あの方なの、フィアンセというのは？」

「そうだ、田所佐知子だ」

二人の見ている焦点の中に、和賀と佐知子とは車を待って佇(たたず)んでいる。それがこちらの車の速度で急激に後ろに流れた。

「幸福そうね」

恵美子が溜息(ためいき)をもらした。

「何がだい？」

関川は鼻の先に冷笑を浮かべていた。

「だって、もうすぐご結婚でしょう。その前に、あんなにご交際をエンジョイしていらっしやるんですもの」

これは、恵美子が自分の気持ちにくらべてもらした言葉だった。

「わかるもんか」

関川は言った。

「あら、どうして？　だって、あんなにおしあわせそうなんですもの」

「現在はね。しかし、だれにも、明日のことはわからない」

「そんな言い方をなさるもんじゃありませんわ。お友だちですもの、喜んでおあげになったら？」

「むろん、喜んでやりたい。しかしね、君のように、ただ形式的なことだけでは、実際はすまないんだよ。友だちだから、よけいに形式的なことを言いたくないな」

「何かありましたの？」

恵美子は関川の横顔を心配そうに見た。

「なにもない」

関川は突き放したように答えた。

「なにもないがね。しかし、和賀はあれで相当、野心家だから、本当に彼女を愛しているかどうかわからない。彼の狙いは、やはり、田所重喜であり、それをバックにした自分の栄光の道だ。そんなものが、女にとって幸福と思うかい？」

「そのなかで愛情が生まれれば、それでいいじゃありません？」

「そうかな」

関川は、その言葉が気に入らないふうだった。

「そんな愛情のあり方に、破綻がこなければしあわせだがね」

「でも、羨しいわ。もし、そうだとしても、今のお二人を見ると、あんなふうに堂々とどこへでもお出掛けになるんですもの。わたしたちは、いつも人目を避けてばかり会っているんですもの」

関川は返事をしないで、青山の暗い通りの流れを窓から見物していた。

六本木の交差点を渡ると、このあたりは特殊なレストランが多い。それも、夜中の三時ごろまで店をあけているのだった。

この界隈が夜更けの特別な表情をみせてきたのは、それほど以前ではない。付近には、ロシア料理、イタリア料理、オーストリア料理、ハンガリー料理などの風変わりな店が散在している。経営者も日本人でないところから、ジャーナリストは東京租界とあだ名している。

関川重雄は、道路に一カ所だけ明るい灯を投げている、あるレストランの前に車をとめた。

赤い絨毯を敷いた階段を上がりきると、広い客席がある。

「いらっしゃいませ」

給仕が奥に案内した。

客席は二つの部屋に分かれている。奥まったところに若い男女の組が二三みえた。

関川は、ハイボールを注文した。

「君は？」

「お酒は、もうたくさん」

恵美子は答えた。

「オレンジ・ジュースをいただくわ」

ボーイは去った。

「何だい、話というのは？」

関川は恵美子をのぞいた。

ほかのアベック組も、低い声で話している。時間だから、レコードも鳴っていないし、前の電車通りからの音も絶えている。

深夜の喫茶店は、やはり、それだけの雰囲気(ふんいき)を持っていた。

恵美子は関川に言われても、急にはあとの言葉が出なかった。顔をうつむけ、もじもじしていた。

「昼間、電話をくれたくらいだから、よほど、大事な話だと思って、こうして、わざわざ来たのだ。早く、話してほしいね」

「すみません」

詫(わ)びたのは、電話のことだった。電話を掛けては困る、というのが彼女に言う関川の口癖だったのだ。

それでも、恵美子はあとを黙っていた。運ばれたジュースにだけは口をつけて、熱心に吸いあげている。

「酒を飲みすぎたのかい？」

関川は、女の様子を見て言った。

「いいえ」

恵美子は小さく顔を振った。

「ばかに喉が渇いてるみたいだね？」

「ええ」

「腹は減っていないかい？」

「いいえ」

関川がハイボールを飲んでいると、ボーイがつまみ物を運んできた。燻製鮭の切り身だった。

恵美子は、その皿をじっと見ている。

「よかったら食べろよ」

関川は彼女の視線に気づいて、皿を差し出した。

「ありがとう。でも、これだけいただくわ」

皿の横についているレモンの切ったのを、彼女は爪楊枝で刺した。そして、それを口に入れると、いかにもおいしそうに食べた。

「そんなすっぱいものが、君はおいしいのかい？」

関川は彼女の顔を見まもった。が、このとき、関川は何かに気づいたように、彼自身が表情を動揺させたのである。

関川重雄は、恵美子の顔を睨むように見た。急に椅子をずらせて、彼女の傍に自分の体を寄せた。

「君」

と、耳もとで小さく言った。

「まさか？……」

恵美子は見るまに額まで赤くなった。それまで動いていた手も、急に停止した。じっとしているのだが、体を内側から力をこめたように堅くしていた。

「そうか」

関川は、また真剣な目で彼女を見つめている。

恵美子は、言葉を出さずにうなずいた。

関川もあとを言わなかった。彼はにわかに目をそらしてコップを握った。

それを唇につけても、視線は別なところに止まって動かなかった。この沈黙はしばらく続いた。

「ほんとうか、間違いないね？」

と言ったのは、かなり経ってからだった。

「ええ」

恵美子は細い声を絞るように出した。

「どのくらいだ?」

その答えもすぐにはなかったが、勇気を出したように恵美子は答えた。

「四月近くになります」

関川は、握ったコップがわれるくらいに指に急に力を入れた。

「バカな」

と、彼は恵美子に目を返して、おさえた声になった。

「どうして、今までそれを黙っていたのだ?」

瞳が、うつむいている女の前髪のあたりに強く当たっていた。

「でも、それを言うと、また前のようなことになりそうな気がしたんです」

唇を嚙んでいるような声だった。

関川はまた、コップを取って自分の唇に当てている。

「当たりまえだ」

と、彼は酒を一口飲んだあとで言った。

「当然な処置だよ」

「いいえ」

女は不意に顔を上げた。これまでにみせなかった強い眼差しだった。

「前には、あなたの言うとおりになりましたが、今では後悔しているんです」

「後悔？」

「ええ、わたしの言うことをあなたは聞いてくださらなかったのです。どんなにくやしかったかしれませんわ……。でも、今度は、今度は、わたしの考えたとおりにしたいんです」

「だめだ」

男は言った。

「何を言うのだ。常識をもっているのか？」

「………」

「前のときだって、ぼくの言うとおりにしたから何ごともなく来ているのだ。君のわがままに従っていてみろ。ぼくたちは、かえって悲劇的になっている」

関川はふとい息を吐いた。

関川はつづけた。

「一時の感傷や興奮で決めてはいけない。もっと、君、割り切るんだ。第一、生まれてくる子供のためを思ってみろ、その子自身がどんなに不幸になるか……」

「いいえ」

と、女は激しく抵抗した。

「わたし、今度だけは、自分のわがままを通させていただきますわ」

その細い声に懸命なものがあったので、関川はあとの言葉を休んだ。

「お願いです。ほんとに今度だけは、わたしの願いを聞いてください」

男の硬い表情に愬えた。

「もう二度目ですもの。最初はあなたの言うとおりになりました。でも、それが間違っていたことがわかったんです。どんなにしても、わたし、責任を持ちますわ」

「責任？」

関川は、恵美子を不快そうに眺めた。

「どう言っているんだ？」

「わたし、自分ひとりでも育てますわ」

「わからないことを言うね」

関川は、うとましそうな声を出した。

「そんな一時的な感傷で、いつまでもいけると思うか。かえって、それが君の不幸になるのだ」

「いいえ、かまいません。しあわせでなくてもいいわ。あなたの愛情を自分でしっかりと握って、育てるだけでも幸福なんです」

関川は手がつけられないといった顔で横をむいた。それから残っているコップの酒を一気に飲んだ。氷が触れあって鳴った。

女はかなしそうに顔をうつむけている。

「とにかく」

と、関川は抑えつけるように言った。

「そういうことには、ぼくは絶対に賛成できない。ぼくの言うとおりになってほしいな」

「………」

「君は、いま自分の感情だけでいっぱいだ。先がどうなるか考えてもいない。もし君の言うとおりにしてみろ。君はきっと後悔するよ」

「いいえ、決して」

と、女は強い目をした。

「そんなことはありません。わたし、自分ですることは自分で決心してやるつもりです」

「自分だけの勝手で言ってはいけない」

関川の声はなだめるような調子に変わった。

「なあ、恵美子。君のそういう気持ちはよくわかる。だが、愛情だけでは何とも解決できないのだ。自分の気持ちでやったことが、かえって思わぬ逆の結果になることが多い」

「あなたは」

と、女は悲しそうに言った。

「わたしに愛情を持っていらっしゃるのですか?」

「わかってるじゃないか?」

「だったら……だったら、そんなことはおっしゃれないはずですわ」

彼女は肩で呼吸をしていた。顔色も今度は青白くなっていた。

「わたしの言うことに賛成してくださるはずですわ」

低かったが女の声はふるえていた。瞳にも涙が浮かんでいた。

「恵美子」

関川は、その肩を急にやさしく叩いた。

「出よう、出て、このことはゆっくり二人で考えながら話しあおう」

恵美子はハンカチで目をおさえていた。

2

夜中の十二時を過ぎたこの界隈は、人通りも絶えて静寂の底にある。昼間でも静かな通りだった。両側には大きな家があって、長い塀が伸びている。道は急な坂になっていて、石畳みがあった。外灯の光が、石の刻みを模様めいた影で描いている。

関川重雄は、オーバーのポケットに両手を突っこんでいた。恵美子が彼の横にぴったりと寄りそい、手を男の腕に掛けていた。二つの影が坂道をゆっくりとおりていく。

時おり、タクシーのヘッドライトが、光を二人の姿に当てて過ぎた。

「どうしても、君は諦められないと言うんだね」

先ほどからの話の続きだった。男の不機嫌な表情も前のままである。

恵美子は男の肩に頰をすり寄せるようにしていた。

「すみません」

あやまったが、その声にしんの強さが感じられた。

「自分で決めた気持ちを、今度は、変えたくありませんの」

恵美子は自分の言葉が男に不機嫌を与えていることを承知の上で、主張を繰り返した。

「決して、あなたにはご迷惑をかけませんわ」

恋人の不興をおそれて詫びるような動作だったし、言葉も哀願的だった。

「迷惑？」

関川は前方を見つめて歩いている。

「ぼくの迷惑だけを言っているんじゃない。これは、君のためも考えているのだ」

坂道は、いったん下におりて、ふたたび上りになる。このあたりは外国の大公使館などがあったりして、黒い森がかたまっていた。

「どうしてもだめか？」

関川が最後に確かめるように聞いたのは、女の決心が堅いと知ったからだった。

恵美子は黙っている。

この沈黙は、彼女に翻意のないことを、男に伝えていた。四カ月にもなって、女がはじめてうちあけたのも、そのためだった。

「そうか……」

関川は暗い中で息を吐いた。

「すみません」

彼女は声をふるわせていた。

「わたし、どんなことをしてでも、自分の手でまもりとおします。あなたのお名前を出すようなことはありません」

「仕方がないだろうね」

関川はぽつんと言った。

「え？」

女はおどろいたように顔を上げた。

「仕方がないと言っている」

「と、おっしゃると？」

「君の意思に従うほかはないだろうな」

関川は、自分の考えを追うように言っていた。

「それじゃ、わたしのわがままを許してくださるんですか？」

彼女は息をはずませたが、まだよろこびをおさえていた。

「敗けた」

と、彼は吐いた。

「君のがんこには参ったよ」

はじめて、恵美子は関川の腕を力いっぱいに締めつけた。

今までしおれきっていた恵美子が、急にいきいきとなったのだ。

「嬉しい」

彼女は、関川の腕をつかんで揺さぶるように振った。

「嬉しいわ。とっても！」

体ごと彼に激しくとりついてきた。それから、顔を男の胸にこすりつけた。関川が歩けなくなったくらい彼女はもつれた。

恵美子は男の胸に顔を押しつけ、肩を小刻みに動かしていた。

「なんだ、泣いているのか？」

関川は彼女の帯に手を当てて抱いていた。言葉つきも今までと違っていた。

実際、彼女はすすり泣いていた。頭も、頬も、肩も、彼女の感動でふるえている。襟から抜けた白い頸筋からは、甘い香りがした。

「すまなかったな」

関川はやさしく言った。

「君がそれほどの決心なら、もう、ぼくも何も言わないよ。できるかぎり君の言うとおりに協力する」

「本当？」

女は、涙声で言った。

「本当だとも。ぼくの言い方は少し君に残酷だったかもしれないね」

「いいえ」

彼女は首をはげしく振った。

「あなたのおっしゃることは、わたしもよくわかるんです。それが当然と思いますわ。でも、わたし、今度だけは自分の生命を守りたかったんです。自分の、というよりも、あなたをうけつぐ生命を守りたかったのです……」

恵美子は感動であとの声が出ず、唇(くちびる)を小さく痙攣(けいれん)させていた。

ふいに、関川は女の肩を引き寄せ、彼女の唇に自分を押しつけた。女の頰に流れている涙が冷たく触れた。

横の塀の上に茂った木立ちが高く差し出ていた。その闇(やみ)の下に二人は長い間抱きあったまま立った。

突然、自動車のヘッドライトが、二人の姿を掃(は)いて横に消えた。二人は離れて歩き出した。

「心配しなくてもいい」

関川は恵美子を勇気づけた。

「ぼくはできるだけのことはする。その代わり……」

と、彼は歩きながらつづけた。

「ぼくの言うとおりにしてくれ。店も、すぐやめるんだな」

恵美子にとって、思いがけない親切な言葉だった。

「でも、まだいいんです」

彼女はうれしそうに答えた。

「いや、今がいちばん大事なときだ。無理をすることはない、体をこわしたらどうする?」

「ええ」

ハンカチを出して、涙をふいた。

「店のママには明日にでも話してやめるんだな。いや、理由は別なことを話して、店を、やめたくなったと言えばいい」

「ええ、そうしますわ」

「その、やめる理由を、今晩、よく考えておくんだね」

「ええ」

恵美子は、五分前とはうって変わった元気な歩き方になった。

「もう、いいんだよ。さあ、話が決まったら、今度はぼくの言うとおりになるんだよ」

通りがかりのタクシーの運転手が、暗い路を歩いている男女を、横目で見ながら走り過ぎた。

3

今西栄太郎がめずらしく早く家に帰ると、奥で川口の妹の声がしていた。

この間、妹の家に行ってからいつのまにか、一カ月経っている。声の調子から、今日も夫婦喧嘩で妹が来たのでないことはわかった。

「お帰んなさい」

妻が玄関に迎えた。

「お雪さんが来ていますよ」

今西は黙って靴を脱いで上がった。

「兄さん、お邪魔しています」

妹は兄を見上げた。

「うん。このあいだは、こちらが邪魔したな」

妻に手伝わせて洋服を脱いだ。

「そのことで今日は来たんですが」

「何だい、そのことというのは？」

「兄さんが聞いていたあのバーの女が、急に家から引越したんですよ」

「なに？」

今西はほどきかけたネクタイの手を止めた。

「引越した、いつだい？」

思わず鋭い目つきになっていた。

「昨日の午後です」

「昨日の午後？　もういないのか？」

「ええ、わたしもおどろいたわ。昨日の午後になって急に言い出すんですもの。あんな引越しってないわ」

「で、どこへ移った？」

「本人は、何でも、千住（せんじゅ）の方に越すとか言ってましたけど」

「千住はどこだ？」

「それが、詳しく言わないんです」

「ばか」

今西栄太郎は妹を思わず叱（しか）った。

「そんなことを、今ごろ言ってくる奴（やつ）があるか。どうして、すぐ本庁の方にいるおれに連絡しない？」

「そんなに、あの女（ひと）が大事だったんですか？」

妹は、あんがいそうな顔をした。

「おまえにはわからん。今ごろ言ってくるよりも、引越し最中に言ってきてくれた方が、どれほど役立ったかしれない。それに、その行先もわからないでは、どうなるんだ？」

「それなら、前もってそう言ってくだされぱいいのに」

妹は兄にどなられて不服そうな顔をした。

「そんなことを、ちっとも聞かないもんですから、つい話すのもあとでいいかと思って……」

妹のこぼすのももっともだった。しかし、まさか、ふた月で移転するとは、今西も考えてもいなかった。

「運送屋はどこだ？」

「さあ」

妹は、それも気にとめていなかったらしい。

「しようのない奴だな」

今西は、ゆるめかけたネクタイをまた締めた。

「おい、上着だ」

「あら、また、どこかにお出掛け？」

妻はびっくりして見上げた。

「これから、すぐ、こいつの家に行く」

「まあ」

妻と妹とは顔を見合わせた。

「いま、晩の支度にかかったところですよ。お雪さんも来たばかりですから、もっと、ゆっくりしておゆきになったら？」

「急ぐ。おい、雪」

今西は妹を促した。

「おれといっしょにすぐおまえの家へ行こう。その引越した女の行先を突き止めるんだ」

「あのひと、何か悪いことをしたんですか？」

妹は、目をむいた。

今西栄太郎は、川口の妹の家に行った。

妹は、恵美子が、何か悪いことをしたのかと、しきりと兄にきく。兄がわざわざいっしょに家まで来るくらい熱心だったからだ。

「いや、別に悪いことをしたというのではない。だが、ちょっと、気にかかることがあるんだ。後になって探すよりも、今だったら、その引越し先の手がかりがつかめるかもしれないからな。彼女の部屋はどこだい？」

妹は、今西を二階へ連れていった。

二階は五部屋に分かれているが、恵美子のいたところは一番奥だった。

妹が戸をあけて電灯をつけた。借主が引越したばかりの部屋はガランとしている。西陽の射す部屋で、畳が赤くなっている。調度を置いた跡だけが色が違っていた。

部屋には何も残っていなかったが、恵美子が不用のものを押入れの隅に固めていた。化粧品や石鹼の空箱、古新聞の畳んだもの、古雑誌、そんなものが積まれてあった。

それだけが、去った人の、この部屋に残した唯一のものだった。

掃除はゆきとどいている。昨日の午後、引越したというのだが、後の始末はキチンとしてあった。

「おとなしい、いい娘でしたがね」

妹は、兄に言った。

「女給さんだと聞いたときは、もっと、だらしない人かと思っていたんですが、普通の人よりきれい好きなんです」

妹は、もっといてほしかったという口吻だった。

今西は、古新聞や雑誌を畳の上にひろげた。別に変わったところはない。古い雑誌は、わりにインテリが読む総合雑誌だった。

今西は、その一つをとって、パラパラと繰った。それから、目次を開いてざっと目を通していた。

ほかの雑誌も手に取った。やはり、目次面を開いて目を通す。彼はうなずいた。

次に、化粧品や石鹸の空箱を開いて見た。中身は古い包み紙などで、きれいに畳んでしまってある。これも、恵美子の几帳面（きちょうめん）さを語っていた。

今西は、そんなものをひろげているうちに、箱の隅からマッチ箱を見つけて取りあげた。バーのマッチだった。今西は、レッテルについている名前を読んだ。

〝クラブ・ボヌール〟とある。

「ここだね、勤めていたところは？」

今西は、妹に、黒地に黄色く名前を抜いた、そのマッチを見せた。

「そうかもしれませんね、わたしには何にも言わなかったけれども」

今西は、その空マッチをポケットに入れた。

ほかには、別に発見はなかったらしく、そのままにした。

「昨日の午後、引越したとき、荷物を受けとりにきたのはどこの運送屋だい？」

「さあ、それが……。気がつかなかったわ」

「しかし、おまえは、運送屋を見たんだろう？」

「ええ、それは見たわ。だって、男の人と二人で、この部屋から、オート三輪車に荷物をはこんでいたんですからね」

「この近所の運送屋はどこだ？」

「駅前に二軒あるけど」

今西は二階からおりた。それから、すぐに玄関で靴をはきはじめた。

「あら、兄さん」

妹は、びっくりしたように言った。

「もう帰るの？」

「ああ」

靴の紐を締めながら返事した。

「せっかくですもの。お茶でもあがってらっしゃいよ」

「そうもしていられない。また、ゆっくり来るよ」

「ずいぶん、急ぐのね」

今西は、靴の紐を結び終わって腰を伸ばした。

「ねえ、兄さん、三浦さんが」

と、妹は恵美子の姓を言って、

「また家に来るようなことがあったら、いろいろきいておきましょうか。そんなに気にかかるようだったら」

「うむ」

今西は気乗りのしない顔をしていた。

「もう、ここへは来ないだろうな」

「そうかしら？」

「あの女は、おまえの兄貴が警視庁に勤めていることを知ったのだ。だから、急いで引越したのだよ」

「まあ、わたし、そんなこと、話さなかったわ」

「おまえがしゃべらなくても、このアパートのだれかに聞いたに違いない」

「じゃあ、やっぱり、あのひと、後ろぐらいところがあるんですか？」

妹は、また目をみはった。

「まだ何とも言えないね。まあ、おまえの言うとおり、万一、彼女が来るようなことがあったら、きいておいてみてくれ」

今西は、妹の家を出ると、急ぎ足で駅のほうに向かった。

駅前には二軒の運送店がある。彼は、その一軒の山田運送店を最初に訪ねた。

「こういう者ですが」

今西は、最初から警察手帳を出した。

「昨日の午後、そこの××町××番地の岡田(おかだ)という家に、こちらで、引越し荷物を取りにいったことはありませんか。そこはアパートで、引越し主は三浦さんというのですが」

「さあ」

居残りの事務員はほかの者にきいていた。

「どうも、私の方ではないようです」

事務員は今西の前に戻って答えた。

「もし、そういうことがあれば、昨日のことですから、すぐにわかるんです。この先の伊藤運送店さんじゃないでしょうか?」

「どうも、ありがとう」

今西は、わずかしか離れていない別の運送店にはいった。

ここでも同じことをきいた。

「さあ、昨日ですか。どうも、そんな記憶はないようですね」

事務員はそう言ったが、

「念のために、従業員にきいてみましょう」

彼は事務室を出ると、ガラス戸で仕切った隣の荷物置場に行った。裸電球の灯の下で三四人の若い男たちが、小型トラックから荷物をおろしていた。

やがて、事務員は若い男をつれて戻った。

「やっぱり、私の方で扱ったのではありません。けど、その番地で引越し荷物が運ばれていたことは、この男が通りがかりに見たそうですよ」

「君」

今西は、若い運搬員にきいた。

「その移転は、どこで見た？」

「旦那のおっしゃっている番地の家の前ですよ」

「運送屋が、やっていたのかね？」

「そうなんです。オート三輪車に、二人がかりで、箪笥だの鏡台だのを積んでいましたよ」

「その運送屋は、どこだかわかるかね？」

「わかります。三輪車の荷物台の横に、でっかく名前が書いてありましたからね。大久保の方なんです。山代運送店というんです」

「大久保のどの辺かな？」

「駅の、すぐ前ですよ。西口を出ると、すぐ目につきます」

「どうも、ありがとう」

今西は伊藤運送店を出た。

妹の話では、恵美子の移転先は千住の方だと言っていた。それは、彼女自身が妹に告げたことだが、いま聞くと、運送店は大久保から来ている。千住と大久保とは、まるで方角が違う。

ここでも、恵美子が、突然引越したことと思いあわせて、不自然さを感じるのだ。

今西は、電車に乗って新宿に戻り、中央線に乗り換えて大久保へ行った。

西口に降りると、なるほど、あの運搬員が言ったように、山代運送店は、表通りの五六軒先に大きな看板を出していた。夜だったが、前に行くと、店の灯の中に人影が動いていた。

　ここでは、身分を明かしたものかどうか、ちょっと迷ったが、手っ取り早いので、手帳を見せた。

　帳簿をひろげていた女事務員が、立って今西の話を聞いた。

「ああ、三浦さんですね。それでしたら、わたしの方から取りにいきました」

　彼女は即答した。

「荷物を届けた先は、わかりますか？」

「それが、先方に、直接届けたのではありません」

「というと？」

「先方のご希望で、いったん、ここに、持ってきたのです」

「ここに？」

　今西は薄暗い電灯がついている土間を見まわしたが、それらしい荷物はなかった。

「いいえ、その荷物は、すぐにまた、ここに取りに見えたのですよ」

「すると、ここにいったん荷を持ってきておろし、三浦さんが改めてそれを引きとりにきたわけですね？」

「そうです」

「どうして、そんな、二重な手間をしたんだろう？」

「そうなんです。私の方も面倒なので困ったのです。幸い、すぐに荷を取りにこられたので、それほど邪魔にはならなかったのですが」

「やはり三浦という女のひとが、取りにきましたか？」

「いいえ、女のかたではなく、二十七八ぐらいの男の人でした」

「オート三輪車でですか？」

「そうです。でも、小型でしたから、荷物を二回に分けて運んでいかれました」

「そのオート三輪車には、名前は書いてなかったのですか？」

「いいえ、それはなかったのです。あれは、運送店のでなく、個人のものですね」

「その男は、二十七八ぐらいと言いましたね」

今西は人相をききにかかった。

「どんな顔つきでしたか。いや、たとえば、痩せているとか、肥えているとか、髪のぐあいとか、そんなものです」

「そうですね……、何だか、ひどく痩せたかただと思いましたわ」

女事務員は考えたあげくに答えた。

「いや、そう痩せてもいなかったよ」

居合わせた別の男が口を出して、

「わりに肥えていたよ」

「そう？」

女事務員は自信なさそうにふり返った。

「そうだったかしら？」

「いや、そうでもない。そんなに太ってもいないよ」

と、机の真向かいにすわっている男が、自分の意見を出した。

「髪は小ぎれいに分けていたように思うな。色が白く眼鏡をかけた男だったよ」

「眼鏡なんか、なかったわよ」

女事務員は直ちに反対した。

「いや、かけていた」

「わたしは、かけていなかったように思うわ」

彼女は、別の男に顔を向けて、その男の判断を求めるようにした。

「さあ、かけていたような気もするし、かけていなかったような気もするな」

目、口の特徴も、三人の言い方はばらばらだった。荷物を運んだのは昨日のことである。

それがもうこんなに食い違うのだ。

「服装はどうですか？」

これも、三人の言い方はまちまちで、一人の男はジャンパーを着ていたと言い、一人の男は黒っぽいセーターだったと言い、女事務員は背広だと言った。背の格好も高かったというのと、低かったというのと、両説に分かれた。

その男がその店に姿を見せていたのは二十分たらずである。運送店の事務員たちは、忙しいためか、結局印象がうすかったということになろう。

「荷物を二度に分けて取りにきたと言いましたね」

今西は別のことをきいた。

「そうです」

「どこに荷物を運ぶと言っていましたか？」

「さあ、それは聞きませんでしたわ」

「では、荷物を最初に取りにきて運び、二度目を取りにきたとき、その間、だいたい時間的にどのくらい経っていましたか？」

「そうですね。三時間ぐらいあったと思います」

これには三人とも異論はなかった。

「どうもありがとう」

結局、これだけの聞込みで満足しなければならなかった。

今西は大久保駅から電車に乗って、銀座のほうへ向かった。

電車のなかで彼は考えた。

恵美子は、妹の家から急に移転したと同様に、その行先も他人にはわからないように仕組んだあとがある。オート三輪車の男が、恵美子の荷物を二度にわたって運んでいるが、この男の人相は運送店の証言がまちまちである。しかし、年齢の点と二度に運んだ間の時間とはだいたい一致している。

その男は荷物をかなり遠い所に運んだに違いない。三時間というと、オート三輪車での往復は相当な距離に当たる。たとえ、荷物をおろす時間をいれてもである。

4

今西栄太郎は、九時ごろ、銀座裏にまわった。

ポケットの中に入れておいたマッチのレッテルが、彼の行先を教える。マッチは、恵美子の引越したあとの部屋に残っていたものだ。

〃クラブ・ボヌール〃は、ビルの中にあった。階段を上がると、いくつもの小さなバーが集まっている。

〃クラブ・ボヌール〃はその奥にあった。

ドアを押してはいると、中にこもった煙で、薄暗い照明が霞(かす)んでいた。

「いらっしゃい」

今西は、カウンターの前にすわった。

入口が狭かったが、中はあんがい広い。ボックスには客がいっぱいだった。はやる店らしい。

ハイボールを注文して、それとなく、客席の方を振り向いて見渡した。洋装や和服の女給が、すわったり立ったりしていたが、十人ぐらいは、いるらしい。どの顔が恵美子かわからなかった。

カウンターだから、女の子は横に来なかった。

「君」

今西はバーテンに声をかけた。

「恵美子さんは、いないか？」

バーテンは、軽くおじぎをして、

「恵美子さんは、昨日かぎりで、店をよしました」

と、愛想笑いをして答えた。

「何、昨日かぎり？」

今西はアッと思った。

「はい」

「それは、また、急だったな」

今西はつぶやいた。当てにしてきたのが、みごとにはずれたのである。恵美子は、移転と同時にこの店をやめたのだ。

「そうなんです。私の方も、ちょっと、びっくりしました。何でも、どうしても当人がやめると言ってがんばりましてね、とうとう、ママさんも承知したのですよ」

「どこか、別のバーに移ると言っていたのかい？」

「いいえ、そうじゃなくて、何ですか、しばらく郷里の方に帰ってみる、と言っていたそうです」

「ほんとかね？」

するど、バーテンはニヤニヤ笑った。

「さあ、どうでしょうか、手前どもにはよくわかりません」

今西栄太郎は思いきって自分の身分を明かすことにした。なるべくそうしたくないのだが、こんな連中を相手にしているとき、それではキマリがつかない。

「ママさんはいるかい？」

「はい、いらっしゃいます」

「わるいが、ここにそっと呼んでくれないか」

バーテンの目が、はじめて違ってきた。

「こういうものだ」

今西は低い声で手帳を出して見せた。

バーテンは今西におじぎをした。それから大急ぎでカウンターの外に出ると、客席の方へ急いでいった。

しばらくすると、バーテンがマダムを連れて戻ってきた。

マダムというのは、三十二三の背の高い、大きい目に色気のある女だった。凝った和服姿である。

「いらっしゃいまし」

彼女は今西に愛嬌のある挨拶をした。

「すみませんな。ちょっと伺いたいのですが、恵美子という女の子が昨日やめたんですって？」

「はあ、そうですが」

「何か、やめるような事情が起こったんですか？」

「郷里に帰るようなことを言っていました。わたしの方も、急なことなので、びっくりしました。それに、この店にはかなり長く働いていて、お客さまも相当持っていましたから、今、やめられては、わたしの方も困るのです。それを言ったところ、泣くようにして頼むものですから、とうとう、承知しました……。あの、恵美子に何かあったのですか？」

「いや、そうではないが、ちょっと、彼女に参考的にききたいことがあったのです。ママさんは彼女の家を知りませんか？」

「何でも、川口の方と言っていましたわ」

「昨日、そこから移ったのですよ」

「へえ、それは知りませんでしたわ」

マダムは実際におどろいたらしかった。

「で、恵美子が持っていた客というのは、だいたい、どういう筋の人ですか？」

「そうですね。まあ、いろいろですわ。あの娘はおとなしいし、純情型といいますか、そんなタイプですから、お客さまもおとなしいかたが多かったようです」

「そのお客のなかに、関川さんというのがいませんでしたか？」

「関川さん？　ああ、あのヌーボー・グループの？」

「そうです、そうです」

「ずっと前には、よく恵美子を名ざしでお見えになってらしたのですが、近ごろはさっぱりですわ」

「ずっと前というと、いつごろです？」

「そうですね。もう一年ぐらいになりましょうか？」

「それ以後、ぱったり来ないのですか？」

「全然ではないんですが、ほとんどお見えにならないと同じです。ふた月に一度ぐらい見えるか見えないくらいだし、たいていほかのかたといっしょですわ」

「その関川さんと恵美子とが、特別な仲だということはありませんか……」

今西はマダムにきいた。

「さあ、どうでしょうか。前にはよくお見えになって、恵美子を指名で呼んでらしたようですけれど、その後のことはわかりませんわ」

「しかし、ぱったり来なくなったということは、かえって、二人の仲がこっそり進行しているということになりませんか？」

「そうですね。こういうところで働いている女の子は、いい人ができると、かえって、店に来させなくするようですから。なるほど、恵美子もそうかもしれませんね」

マダムはここまで言って、

「関川先生は、ほんとに恵美子とそういう仲になっていたんでしょうか？」

と、逆に今西にきいた。

「いや、それは、ぼくにもわかりませんよ」

彼は言葉を濁した。

今西としても、こんなことを追及されると困るのだ。別に捜査とは関係のないことだ。

「関川先生とあの子に、なにか妙なことがあったんですか?」

マダムはやはりつづけてきいた。

「いや、何もないんですよ。特に恵美子さんがどうかしたというのではないんです。ただ前にも言ったように、彼女に少しききたいことがあって来ただけです」

事実、関川と彼女とがどんな仲になっていようと、いわば、他人のおせっかいである。こうなると、刑事という立場は、はなはだ困るのだ。「個人」の興味とは取ってもらえない。

「でも、関川先生が、まさか恵美子とは……」

マダムは半信半疑だった。

「いや、その点もどうかわかりませんよ。ぼくも別に確かめたわけではないから」

今西は話がもつれるのを予防した。

「では、あとで来るかもわかりませんから、もし、恵美子さんの新しい働き先や住所がわかったら教えてください」

彼は妙な立場になって、〝クラブ・ボヌール〟を出た。

銀座裏を歩きながら、今さら自分の矛盾に気がつく。

恵美子も関川も、全く捜査の対象ではない。だから、その二人を追っているのは筋が違うわけである。

しかし、どうも腑(ふ)におちないのは、恵美子が急に妹の家から他所(よそ)に移ったことだ。たしかに自分が刑事と知って、あわてて引越したように思う。

それに引越しのやり方も奇妙だった。これも考え方によっては、何か、うしろ暗いところがあって、隠れたという感じだった。

だが、正面から言えば、その奇妙な行動も、別に刑事が追う理由はないのだ。

しかし、彼は何か恵美子の行方に暗い翳(かげ)を感じる。はっきりした理由でなしに、いわば予感のようなものだった。

警察は、いつも事件が起こったあとでなければ、捜査権を発動するわけにはいかない。犯罪予防の点では、警察は全く無力なのである。

被害が生じて、はじめて警察が動く。予感だけでは捜査はできない――。

今西は過去の経験で、何度かこういう矛盾につき当たっている。

第十一章　彼女の死

1

午後十一時十五分だった。この時間は、電話に出た看護婦が、自分の個室にはいって寝ようとしていたときだから、よく覚えている。電話の声は男だった。

「そちらは、上杉（うえすぎ）医院ですか？」

「はい、そうです」

「産婦人科の上杉さんですね？」

「はい、そうですが」

「急患があるのですが、至急に先生に来ていただけないでしょうか？」

あとで看護婦が述べたところによると、その男の声はまだ若かったという。

「どちらさまですか？」

「いや、はじめての者です」

この意味は、まだ上杉医院に一度もかかったことのない患者と言っているのだ。

「いったい、どうなさったんですか？」

「妊娠している女ですがね、急に倒れて、出血がひどく、気を失っているんです」

「そうですね、今晩は、もう、遅いですから、明日にしていただけませんか」

「明日の朝になると、死ぬかもしれませんよ」

男の声は、看護婦をおどかしているように聞こえた。

「ちょっと、待ってください。先生にきいてみます」

看護婦は送受器を置いて、廊下伝いに奥へ行った。医院の裏が医者の母屋（おもや）になっている。

「先生」

看護婦は母屋の廊下に立って、障子越しに呼んだ。

「先生」

障子にはまだ灯がついている。医者は起きているのだった。

「何だね？」

「急患だと言って、電話がかかっています」

「急患。どこからだ？」

「それが、はじめての患者さんだそうです。なんですか、妊婦が倒れて、出血がひどいそうです」

「なるべくなら、断わってくれよ」

医者はおっくうがっていた。

「それがたいそう重体で、明日の朝まで放っておくと死ぬかもしれない、と言っています」

「だれが言ってるのだ？」

「男の声です。患者の旦那さんの方があわてているのじゃないでしょうか」

看護婦は自分の想像を言った。

「しようがないな」

死ぬかもしれない、という言葉が医者にもこたえたらしい。

「よく、所をきいておけよ」

看護婦は電話口に戻った。

「これからお伺いします」

「そう。それはどうもすみません」

ほっとしたような声だった。

「お所は？」

「祖師ヶ谷大蔵の停留所から、北の方に、大きい道路がついています。それをまっすぐ行くと、明神社というお宮さんがあります。そのお宮の境内の横について左側にはいると、杉垣の家で、久保田保雄という標札がかかっています」

「久保田さんですか？」

「いいえ、ぼくの方は、その久保田さんの家の裏の離れを借りています。入口は、裏にも木戸がありますから、そこからはいってもらって結構です」

「お名前は、何とおっしゃいますか？」

看護婦は電話の相手にきいた。

「三浦と言います。三浦恵美子です。恵美子が患者の名前です」

「わかりました」

「あの、すぐ、来ていただけますか？」

「はい、参ります」

「お願いします」

看護婦はあまり機嫌がよくなかった。せっかく、寝ようとした矢先を邪魔されたのである。

看護婦が、煮沸器に注射器などを入れて支度していると、奥から医者が出てきた。五十過ぎの男だ。カゼをひいているので、咳をしている。

「おい、用意はできたか？」

「はい、今、煮沸が終わったところです」

医者は、これから持っていく注射薬を取りに、薬局に行った。

「三号室が空いていたな」

医者は出てきて看護婦に言った。

「はい」

「都合によって、病人をここに連れてくることになるかもわからない。奥へ行って奥さんに、掃除をしておくように言ってくれ」

医者は、カバンに道具を詰めていた。

車は、医者自身が運転する。看護婦は助手台にすわった。

「ええと、お宮の近くだと言ったな？」

「明神社の裏側です」

医者は、人通りの絶えた道路に車を走らせた。この辺は、街がつづいたかと思うと、畑になり、また短い町並みとなる。

やがて、ヘッドライトは、前方に、黒い森を映し出した。鳥居がある。

「こっちの方でしょう」

看護婦が左側の小さな路をさす。

さらにその路を走ると、二筋に分かれた。医者は、森のそばについた方を行く。この辺から、家を探すために徐行した。

「あれじゃないでしょうか」

看護婦は杉垣を見つけて言った。

近づいて、強いライトを当てると、門札に「久保田保雄」とある。二人は、そこで車をとめて降りた。

「裏を借りているそうですが、そこに別の木戸があるんだそうです」

それは確かにあった。医者が懐中電灯をつけて、その木戸を押すと、ひとりでにあいた。

離れというのは、すぐにわかった。母屋とは三間ぐらい隔たって小さな家がある。

ここに電灯の光を当てると、小さな玄関の横に、

「三浦」と紙に書いたものが門札代わりに貼られてあった。

「ごめんください」

看護婦は格子戸の外から呼んだ。格子戸には、内側から暗い灯がついている。

「ごめんください」

だれも出てこなかった。

「奥の方にでもいるんだろう。かまわないから、戸をあけてみたまえ」

戸は抵抗もなくあいた。看護婦が医者を先にはいらせた。

狭い玄関だ。

「ごめんください」

やはり人が来ない。

「おかしいね。病人の世話でもしているのかな」

これは、夫婦者だけが借りている家と想定して、医者が洩らした言葉だった。

いくら呼んでも、人が出てくる気配はなかった。

医者は少し腹を立てた。夜中に電話で叩き起こして呼びつけながら、だれも出てこないという法はない。

「かまわないから、君、あがってみたまえ」

医者は看護婦に命じた。

看護婦は尻込みしていたが、医者に言われて仕方なさそうに靴を脱いで、狭い玄関から上がった。障子を開くと正面は壁になっている。左手が座敷に通ずる襖だった。

「ごめんください、ごめんください」

看護婦はつづけて呼んだ。

しかし、やはり返事はなかった。人の足音すら聞こえないのである。

「先生、だれも出てきませんわ」

「よし、ぼくがあがってみる」

医者は靴を脱いだ。座敷に電灯がついている。無人のはずはないのだ。

医者は襖をあけた。

内にも電灯がついているが、これも病人のことを考えてか、電灯の笠がタオルでカバーされていた。だから、部屋は薄暗い。

六畳ぐらいだったが、その座敷のまん中に床がのべられてあった。布団をかぶって人が寝ている。枕の端に髪がのぞいていた。

はじめは、主人が氷でも買いにいっているのかと思っていた。だが、ここで漫然とその帰りを待っていられない。医者は布団をめくった。

女が壁に顔を向けて寝ている。

「もしもし」

看護婦は病人の傍によって低い声で起こした。

「もしもし」

返事はなかった。

「眠っているのでしょうか？」

看護婦は医者を振り返った。

「眠っているのだったら、たいしたことはないはずだがな」

医者は懐中電灯を握ったまま、布団の裾をまわって、病人の顔の方にすわりなおした。

「三浦さん」

医者は患者の顔をのぞいてまた声をかけた。

医者に呼ばれても患者の顔は少しも動かなかった。たいそう苦しげな表情だ。眉に皺を立て、唇をかすかにあけて歯をのぞかせている。医者はしばらく見つめていたが、急に、

「おい」

と今までにない声を出した。

「だれか、この家の者はいないか？」

「は？」

「その辺に行って探してみてくれ」

看護婦は医者の声音で、病人の重症を察したらしい。

台所と思われるところに行った。

「この家のかたはいませんか？」

二三度呼んだが、これにも返事がない。

「先生、だれもいません」

　看護婦は医者の後ろに戻ってきた。

　このとき、医者は、すでに布団をめくり、病人の胸に聴診器を当てていた。心音を真剣に聞きとろうとしている様子が、看護婦の目に普通でなく映った。

　看護婦が呼びにいったので、この家の母屋の人が起きてきた。五十ぐらいの夫婦者である。

「どうかしたのですか？」

　妻の方が敷居側からびっくりした顔をのぞかせた。

「私は、上杉という医者ですが」

「はあ、お顔はよく存じあげています」

「今、電話でこの家に呼ばれたんですがね。それで病人を診ているんですが、この人のご主人はいませんか？」

「ご主人ですって？」

　家主が答えた。

「そういうかたはいませんよ。この女は、一人でこの家に越してきたのです」

「一人でですって？　だが、さっき電話をかけてきた人がいますよ」

　医者は看護婦を見た。

「ええ、男の人の声でしたわ。すぐ、ここに来てくれ、と言ったのです」

「いいえ、それは、わたしの方じゃありません。なにしろ、この女が病気になってるとは、ちっとも知りませんでしたからね」

「先生、いったい、どうしたんですか？」

主婦がこわごわはいってきて、布団の裾から病人の方をのぞくようにした。

「危篤です」

医者は言った。

「なんですって？　危篤ですって？」

夫婦はそろって目をむいた。

「それもおそらく絶望でしょう。心臓が微かに動いていますが、たぶん、もう、だめだと思います」

「ど、どうしたんでしょう？」

「この女は妊婦ですね」

「妊婦？」

「つまり、妊娠ですよ。四カ月ぐらいだろうと思います。よく診てみないとわからないが……流産ですね」

この流産という言葉を出すのに、医者はちょっと手間取った。医者には別な考えがある。しかし、今は穏健な言葉をえらんだという感じだった。夫婦は顔を見合わせた。

「先生。どうしたらいいでしょう？　困ったわ」

主婦が言った。

「普通なら入院ですが、入院させても、この状態では、とてもだめですね」

「大変なことになったものだ」

家主が言った。その口ぶりは、ここで死なれた場合の迷惑が露骨に出ていた。

「身寄りの人はいないんですか？」

医者がきいた。

「はあ、だれもいません。なにしろ、きょう、引越してきたばかりの女ですからね」

「きょう？　そりゃア……」

医者は、病人の顔を改めて見直すようにした。

それでも、医者は看護婦に命じて、強心剤を素早く射った。

「意識があるのですか？」

家主がのぞきながらきいた。

「いや、もう、何もわからないでしょう」

その声の下から、ふいに女の唇が動いた。医者がはっとして見つめると、

「……とめてちょうだい。ああ、いや、いや。どうかなりそうだわ。もうやめて、やめて、やめて……」

と、蒼い顔の女が、うわごとのように口走った。

「今西さん」

若い刑事が送受器を握って今西栄太郎を呼んだ。

「電話ですよ」

今西刑事は自分の机で「実況検分書」を書いていた。彼は今一つの小さな事件を受け持っている。

「おう」

彼は椅子をひいて立った。

「田中さんという人からです」

「田中？」

「女の人ですよ」

今西栄太郎に心覚えはなかった。もっとも、事件を手がけていると、記憶にない人からよく電話がかかってくる。

「今西ですが」

彼は送受器をとって言った。

「昨日はどうも」

女の声だった。

「どうも」

今西は相手の正体がわからないので迷った。

「田中といっても、おわかりにならないでしょう。昨日、あなたがお越しになった、バーの

〝クラブ・ボヌール〟の者です」

「ああ」

今西はうなずいて電話口で笑った。

「その節はどうも」

今西には、恵美子の行方を知らせてきたのだと、すぐにわかった。昨夜(ゆうべ)、あのバーに訪ねていったのだから、マダムからわざわざ電話を掛けてくる以上、そうとしか考えられない。

「実は、恵美子のことでお知らせしたいんですが、もうご存じでしょうかしら？」

やはりそうだった。

「いや、まだよくわかっていません。どこにいるのですか？」

「恵美子は死にましたよ」

「死んだ？」

今西は呆然(ぼうぜん)となった。

「ほんとうですか？」

「では、まだご存じないわけですね。実は、昨夜、あなたがお帰りになったあと、恵美子の今度越した家の家主さんという人から電話がありましてね。何でも恵美子が持っていたマッチから、わたしの店がわかったんだそうです。それで、恵美子が死んだから至急に親もとに連絡したいが、自分にはわからないから教えてくれと言うんです」

「ほう、いったい、どうして死んだんですか？」

今西はまだ驚愕から解かれなかったが、瞬間に恵美子は殺されたと考えた。しかし、他殺だったら、当然、この捜査一課に連絡があるはずだから、それではないはずだと思い直した。

「何でも、あの娘が妊娠していて、転ぶかどうかして打ちどころが悪く、それが因で死んだらしいんですの」

「………」

「わたし、あの娘が妊娠しているなど、ちっとも気がつかなかったので、それを聞いてびっくりしました」

マダムは、恵美子が死んだことよりも、妊娠していたことにおどろいているらしい。

「いったい、恵美子さんはどこで死んだんです？」

「自分の借りた部屋でですわ。引越したばかりだったそうですけれど」

「住所は？」

今西は片手に鉛筆を取った。

「その家主という人から聞いたままの所を言います。世田谷区祖師ヶ谷××番地、久保田保雄さんです。恵美子はそこの裏の部屋を借りていたんだそうです」

「ありがとう」

今西は早口で礼を言った。

2

祖師ヶ谷の奥は、まだ畑が多い。久保田という家も、すぐ隣がかなり広い畑になっており、その先がまた寂しい住宅街につづいていた。

今西が会うと、久保田保雄というひとは、五十ぐらいの、人のよさそうな男だった。

「なにしろ、私の方も驚きましたね」

久保田氏は刑事の質問に答えた。

「あれは、夜中の十二時近くでしたが、突然、裏の離れから医者がこちらに声をかけましてね。越してきたばかりの女が死にかかっている、と言うんです。驚いて行ってみると、もう、本人は虫の息でした」

「すると、あなたが、医者を呼んだわけではないんですね?」

「そうなんです。私が呼んだわけではないのに、だれか医者に電話をかけて、知らせたらしいですな」

「ちょっとお尋ねします。この家の裏を借りたのは、当人が直接来て頼んだのですか?」

「はい、本人が来ました。私の方は裏の離れのことを、すぐ近くの、駅前の、不動産屋に頼んでおきましたからね。そこで聞いてきた、と言うんです」

「なるほど」

「私も、まさか、こんなことになろうとは思いませんでしたから。女ひとりだというので、そううるさくもなし、いい人だと、喜んで契約をしました」

「本人は、バーの女給をしているということを言っていましたか？」

「いや、そのときは言わなかったのです。なんでも、昼間は洋裁学校にでも通いたい、と言っているくらいでしたから、女給さんとはまさか気がつきませんでした。あの部屋を、亡くなったあとで見たとき、当人の荷物からバーのマッチが出ましたのでね。それで、昨夜、そっちに連絡したんです」

「当人が荷物を運んできたときは、どういう様子でしたか？」

「それが、実はよくわからないんです。荷物を運び入れたのは、一昨日の夜でしてね。私の家は、ご承知のように、裏から直接あの離れに出入りするようにできています。オート三輪車の音や、荷物を入れる気配はしていましたが、夜のことですし、私も、つい、大儀になって、見にいきませんでした」

「荷物は、何回ぐらいに運びましたか？」

「そうですね、オート三輪車の音は二度往復したようですから、二回じゃなかったでしょうか」

この二回は、山代運送店の店員の言った言葉と合っていた。時刻もほぼ一致している。

「当人が部屋を約束した日は、荷物を入れた日と同じですか？」

「そうなんです。朝、本人のあの女が来ましてね。その晩、すぐに移転がはじまったんです」

「だれか、移転のときに、手伝ってるような声はしませんでしたか？」

「私のほうは、ごらんになってもわかるとおり、この母屋と離れとの間には、庭がありましてね。それに、雨戸を閉めますと、いよいよ、裏の方は声が聞こえなくなるのです。そんなわけで、残念ながら、運送屋のほかに手伝いの人が来ていたかどうか、気がつきませんでした」

今西栄太郎はその裏座敷というのを見せてもらった。

死体はすでに取り片づけられている。

「警察の方で、死体を持っていってくださったので、実は、ほっとしましたよ」

今西の横についてきた案内役の家主は言った。

「引取人がいつまでも来ないので、このまま置かれたら、どうなることかと思っていたんです」

今西は、まだそこに置かれてある恵美子の遺留品を眺めた。整理ダンス、洋服ダンス、鏡台、机、トランク、まだ縄の解かれていない行李……。

彼は行李以外のものは、戸をあけたり、引出しを抜いたりして、一応ざっと目を通した。

別に新しい発見はなかった。

移ってから一晩を過ごしたというだけで、ほとんど片づけられていない。

「布団は血まみれになってしまったので、仕方がないからこれは畳んでムシロで覆い、裏の物置小屋に突っこんでありますよ。早くあれも何とかしたいものですね」

家主は思わぬ迷惑に参っている。

「死体の解剖が終わると、どうなるんでしょう？」

と、彼は今西にきいた。

「さあ、引取人が来ないとなると、共同墓地に埋葬するよりほかしようがないでしょうね」

「荷物はどうなるのでしょうか？」

「それは、警察の方でなんとか指示があるでしょう。もうしばらく、ご辛抱ください」

今西は靴をはいた。

この久保田家から産婦人科の上杉医院までは、歩いて二十分ぐらいだった。

上杉医院は、この辺にいかにもふさわしいような門構えの奥に建っている。住宅を改造したらしく玄関まで行くのに、両側は庭石や植込みのある庭園になっていた。

「なにしろ、驚きましたね」

出てきた上杉医師は、今西に話した。

「行ってみると、ああいう状態です。もうどうにも手のつけようがありませんでした」

「死因は何ですか？」

「転倒したため腹部を強打し、そのため急激な流産となったのですね。胎児も死んで出ていましたよ。直接の死因は出血多量です。腹部を診ましたが、内出血がはっきり、ありました。つまり、転倒したときにできた痣ですな」

「先生が診られたときは、意識はなかったのですか？」

「行ったときはなかったようです。しかし、息を引き取る前でしたか、その意識が瞬間にさめて、妙なことを口走りましたよ」

「え？　妙なこと？」

「正常な意識ではないから、うわごとのようなものですが……、とめてちょうだい。ああ、いや、いや。どうかなりそうだわ。もうやめて、やめて、やめて……、といったような言葉でした」

「待ってください」

今西は急いで手帳を出した。

「もう一度、言ってください」

上杉医師はその言葉を繰り返した。今西は手帳に丁寧にそれを書いて復誦した。

「とめてちょうだい。ああ、いや、いや。どうかなりそうだわ。もうやめて、やめて、やめて……、というんですな」

「まあ、そう言った言葉です」

「先生がすぐ所轄署にこれを届けられたのはどういうわけですか？」

「私が最初から診ていた患者ではないですからね。やはり、私が死亡診断書を書くわけにはいきません。あとで問題になったとき困るんです。一応警察に届けて、行政解剖をお願いしたわけです」

「それはいいご処置でしたね」

今西はほめた。実際、その死体をすぐ焼き場に持っていかれて、骨になっては困るのだ。

「ところで先生、その病人のことをこちらに知らせたのは、家主ではなかったそうですね」

「そうなんです。あれは、電話で知らせを受けたんですよ。ちょうど、寝る前でしてね。十一時すぎでしたか、晩酌(ばんしゃく)を切りあげようとしたとき、看護婦が電話のことを知らせてきて、往診はどうするのか、とききにきたのです」

「その声は男だったですか、女ですか？」

「ちょっと待ってください。看護婦をここに呼びます」

二十七八のしなびたような顔の看護婦が来た。

「まだ若そうな男の声でした」

看護婦は医者に言われて、今西に答えた。

「一度、断わったのですが、急に倒れて出血がひどく、気を失っているから、すぐ往診にきてくれと言っていました」

「それは、自分の細君とは言いませんでしたか？」

今西がきいた。

「いいえ、別にそんなことは言いませんでしたが、わたしは患者の主人だと思いました。明日の朝にしてくれないかと言うと、その人は、明日になると死ぬかもしれないと言いました」

死ぬかもしれない……。今西はその言葉にちょっと考えこんでいた。

「警察の方で、死体を持っていったのは、昨日ですか?」

彼は医者にきいた。

「そうです。患者の心臓が止まったのはその晩の午前零時二十三分でした。私は簡単に死後の処置をして帰ったのですが、夜が明けるとすぐに警察に連絡したのです。ですから、たぶん、昨日の午前中に都の監察医務院に運んだのではないかと思いますね」

「いや、いろいろありがとうございました」

今西は頭を下げて、その医院を出た。

彼は祖師ヶ谷大蔵から新宿行の電車に乗った。このまままっすぐに大塚の監察医務院に向かうつもりだった。

電車が駅を離れると、窓のむこうに雑木林の風景が流れてくる。その間に畑があった。

今西は雑木林を眺めているうちに、ふと、自分が、以前にこの辺に来たことを思い出した。

それも、つい一ヵ月前のことだ。宮田邦郎の死んだ現場がここからは遠くないのである。

今西はそれに気づくと、手帳を出し、急いで繰った。

宮田邦郎の死体のあった場所は、世田谷区粕谷町××番地である。

すると、いま自分が行った祖師ヶ谷の家とは、わずかな距離しかない。

風景が似ているのも当然だった。

「やあ、また見えましたね」

監察医務院の医者は、今西栄太郎の顔を見て、笑いながら言った。

宮田邦郎のことで、先月のはじめに来たのを憶(おぼ)えていてのことである。

「今度は何ですか？」

医者は、にやにやした。

「先生、殺しではないんですが、昨日の朝、行政解剖でこちらに回ってきた、三浦恵美子という仏さまのことで来ました」

「ああ、あれ？」

医者は意外そうな顔をした。

「あれが何かおかしいのですか？」

「いいえ、別に事件というのではありません。その死体のことで少し伺いたいのですが、解剖なさった先生はどなたですか？」

「ぼくですよ」

と、当の医者が目を笑わせた。

「それはどうも。で、解剖なさったご意見はいかがでしたか？」

「あれは、やっぱり出血死ですな。妊娠ですよ」

医者は気軽に話した。

この気軽に話すか、重たげに説明するかの態度で、だいたい、事件の種類が推測されるのである。

「ははあ、すると、やっぱり病死ですか？」

「病死ですね。病死といっても妊娠四カ月の胎児をお腹(なか)に持っていて、転んだんですから、その圧迫により胎児の生命が断たれたから、流産がはじまったのです。いわば死産ですよ」

「それに間違いはないでしょうね？」

「まあ、ぼくの見るところではそうだけれど、名刑事は何か不審があるのですか？」

「お話ししないとわかりませんが、いろいろと妙なことがあるんです」

ここで、今西は簡単に恵美子のことを話した。家を越した直後にその事故が起こったこと、医者に電話を掛けたのは男の声だったのに、それが恵美子の死亡後も姿を見せないことなど、詳しく話した。

「それは、おかしいですな」

医者は初めて顔から笑いを消して、少し真剣な目つきになった。

「確かに、男の声が電話で医者を呼んだんですね」

「ええ、そうです。それなのに、死んでもちっとも姿を見せません」

「ううん」

医者は考えていたが、

「そりゃあ、やっぱり何ですな、その女性と特別な関係にあった男でしょうね。つまり、その男が子供の父親かもしれませんよ。だが、よくあることで、女が死ぬと自分の外聞を考え、ついに、倒れた女のところには戻ってこなかったんでしょうね」

「私も同じ考えです。先生、その死因は死産といいますが、解剖でもそのとおりなんですね」

今西は確かめた。

「それは間違いありません。腹部に内出血がありましたが、もちろん、これは、転倒したときに受けた打撲傷です。そうですね、あれはほかに外力を加えられたような形跡はありません」

「つまり、殺しではないわけですね？」

「殺しではありません。急激な死産によって起こった、出血過多による死亡です」

今西は質問した。

「妊婦が転倒して死亡するという例は、よくあるんですか？」

「それはないこともありません。だが、よほど運の悪い人ですよ」

「腹部に打撲傷らしい皮下出血があるということでしたが、それは、打撲傷に間違いないでしょうか？」

「それは、間違いないですよ」

「その傷の具合で、どういう場所に転倒したか、見当がつきますか？」

「つまり、ぶつかったものですね。やはり、石みたいなものでしょう。しかも、それは上皮が剝離されていないから、角のない丸い石と思っていいでしょう」

「胎児はどうでした？」

「ぼくが見たときには、胎児は布団の上に出ていましたよ。ですから、それもいっしょにこちらに引き取って検査しました。胎児は母親のお腹にいるとき、もう死んでいましたね」

「死んでいた？」

「ですから、流産ともみられます。いったい、胎児が出た場合、母親のショックで分娩（ぶんべん）したのか、胎内で死んでから出たのかを、われわれは見きわめます。あの婦人の場合はすでに胎児が死亡し、流産のはじまる直前に転倒したという、二重の不運があったというわけです。出血が多かったのも、そのせいですよ。だいたい二千ｃｃぐらいありましたからね」

「もう一度うかがいますが」

今西はねばった。

「解剖しても内臓に特別な変化はなかったのですね？」

「ははあ、今西さんのききたいのは、妊婦の死が他殺ではないか、という意味ですね？」

「そうです」

「あなた方の立場だったら、やはり、そこまで確かめてみたいでしょう。でも、残念ながら、ぼくのみるところでは、毒物を飲んだ徴候はみられないのです」

「はあ」

今西は浮かない顔をした。

「胎児の性別は、どうでした？」

「女の子でしたよ」

医者は答えたが、その瞬間、暗い顔をした。

今西も、目の前を不意に影が通り過ぎたような気持ちになった。

「どうも、いろいろとありがとうございました」

「いや、何でも不審があったらきいてください」

「いずれ、あとでお尋ねすることになるかもわかりません」

「何か、あの妊婦に妙なことがあるのですか？」

「いや、まだそれほど、はっきりした形ではないのです。が、前後の事情で、すっきりしないところがありましたのでね」

「ですが、解剖所見では他殺の線がみられませんよ」

「わかりました、どうも」

「今西さん、解剖は終わったんですが、遺族はいつ引きとりにくるんですかね？」

「所轄署から、まだ連絡がありませんか？」

「まだ来ないんですよ。何でも、本人の郷里に照会しているということでしたがね」

今西は、また暗い気持ちになった。

今西栄太郎は監察医務院を出た。医者が最後に、胎児は女の子だった、と言った言葉がいつまでも彼の頭の中に残った。

今西は、将来、母親となったであろう恵美子の顔が目に浮かぶ。川口の妹の家に行ったとき彼女にはじめて会ったのだが、バーの女という職業から受ける感じとは違っていた。その辺の若い娘のように世間ずれのしない純真さがみえた。言葉もていねいだったし、動作もおとなしかった。几帳面な性格だと、妹は賞めていた。

医者の説明では、彼女の死に、別に不審は見当たらない。転倒したために、腹部を強打し、出血したのが原因だというのである。

しかし、恵美子が今西と会った一ヵ月後に引越したのは、どうした理由であろう。今西は、妹の弁解にもかかわらず、恵美子が刑事という自分の職業を知ったからだと思っている。

その引越しのやり方も普通ではない。荷物を取りにきたのは、最初、運送店だったが、それを転居先に運び入れたのは違っていた。引き取った荷物を一時運送店に置いて、違う人間が自家用車らしいオート三輪車で運んだのは、作為がありすぎる。

恵美子の危篤を上杉医師に通告したのも、どうやら、そのオート三輪ではこびいれた男らしい。この男の人相は、わかっていない。青年だったということは、あの大久保駅前の山代運送店でも言っているし、上杉医院の看護婦も、電話の声を若かったと言っている。

その男は、あきらかに、その女の危篤に居合わせていたのだ。しかるに、なぜ、電話で医者に通告だけして、その男はあとをくらましたのか。まるで、殺人犯のようである。たとえ、解剖によって恵美子の死が他殺でないとわかっても、この点、疑うに十分である。

さらに、恵美子が死んだ家の祖師ヶ谷といえば、宮田邦郎の死んだ、あの寂しい田圃とは、そう距離が離れていない。この二つの地点の間隔は、直線距離にすれば、二キロぐらいのものではなかろうか。これも妙な暗合である。

もう一つ思い当たることがある。

宮田邦郎の死は、今西が彼に会いたいと思っている矢先だった。宮田とは、銀座の喫茶店で会うことを約束し、今西も、彼から大事な話が聞けると思った直前の急死だった。恵美子の死は、今西が彼女の引越し先を探しているときだった。つまり、この両人とも、今西が求めていた人間なのである。ここにも共通点があった。

場所といい、場合といい、あまりにも似通った死の条件だった。そして、二つとも他殺でなく、自然死だということも同じである。

今西は電車に揺られながら、考えこんでいた。

都電は、水道橋から神田の方面へ、のろのろと走っている。思索するには、絶好の場所だった。

今西は手帳を出した。恵美子が最期のときにうわごとみたいに言ったという上杉医師の言葉である。

「とめてちょうだい。ああ、いや、いや。どうかなりそうだわ。もうやめて、やめて、やめて……」

これは、いったい、だれに言った言葉であろうか。

そして何を「やめて」くれと叫んだのであろうか。

3

今西栄太郎の手帳には、次のようなことが書かれてあった。

「関川重雄
昭和九年十月二十八日生
本籍　東京都目黒区柿ノ木坂一〇二八番地
現住所　目黒区中目黒二一〇三番地
父　関川徹太郎、母　シゲ子
略歴　碑文谷小学校、目黒高等学校、R大学文学部卒　主として文芸批評にたずさわる。
家族　父は昭和十年に死亡、母は十二年に死亡し、兄弟ともなし。独身。
現在の住宅は昭和二十八年に引越し、家主は中目黒三一六番地　岡田庄一。
女中を置かず、近所の中村トヨ（五十四歳）を通い家政婦として手伝わせている。
趣味　音楽、柔道二段、酒は大酒というほどでもないが、かなりたしなむ（日本酒よりも洋酒のほうを好む）。
性格　職業上社交的だが、実際は孤独癖がある。生活態度は几帳面の方なり。
交友関係　同年輩ぐらいの若い文化人が多い」

三日後、今西栄太郎は中目黒の関川重雄の家に手伝いに行っている中村トヨを訪ねていった。

中村トヨは、路地の奥の小さな家に住んでいる。彼女は十年前に夫に死に別れ、現在では息子夫婦といっしょに暮らしていた。

まだ、孫がないので、彼女は関川に頼まれて、昼間だけ家政を見に通っている。

今西栄太郎が訪ねたのは、午後九時過ぎだった。

中村トヨは、背の高い瘦(や)せた女だ。

「私は、興信所から来たものですが」

今西栄太郎は、玄関先に出てきた中村トヨに言った。

「少しばかり、関川さんのことでおたずねしたいのですが」

「どういうことですか？」

中村トヨは、興信所から来たというので、目をみはった。

「あなたは、毎日、関川さんのお宅にお手伝いに行っていらっしゃるわけですね？」

「はあ、そうです。今も関川さんのところから帰ったばかりですよ」

「実は、縁談のことなんですが」

「え、縁談ですって？」

中村トヨは、顔に興味をいっぱいに現わした。

「関川さんの縁談ですね。どういう縁談が持ちあがっているんですか？」

「それは、ちょっと言えません。依頼主のかたが絶対に秘密にしてくれと言っていますからね。そこで、あなたにいろいろと関川さんのことをおうかがいしたいのですよ」

「はあ、そりゃあ、おめでたの話ですから、わたしの知っていることなら、何でも言いましょう」

「すみませんね」

玄関につづく奥の座敷には、彼女の息子らしい夫婦者の姿が見えた。

「ここでは、ちょっと何ですから、すみませんが、その辺までいっしょに来てくれませんか。何か食べながら、ゆっくりお話を聞きたいんですよ」

中村トヨは、割烹着をぬいで、ショールを巻きつけると、今西について外に出た。

表通りを二三軒行くと、中華そば屋がある。

「どうです、ここでワンタンでも食べましょうか？」

今西はトヨを振り返った。

「結構ですね」

トヨは笑った。

二人は、軒に赤い提灯の吊りさがっているガラス戸をあけた。店の中は湯気がこもっている。二人は客席の隅に差し向かいに腰をおろした。

「おい、ワンタン二つ」

今西は注文して煙草を出した。

「どうぞ」

中村トヨは煙草好きとみえて、ちょいと頭を下げて一本取った。今西はマッチをすってサービスする。

「しかし、何ですな」

と、今西は言った。

「あなたも大変ですね。朝早くから夜まで関川さんのところの手伝いでは」

中村トヨは口をすぼめて煙を吐いた。

「いいえ、これであんがい気楽なんですよ。関川さんといったら独身でしょう。それに家にいて遊んでいても仕方ないんです。けっこう、小遣ぐらいにはなりますからね」

「体がお丈夫で、けっこうですよ。まあ、人間、働けるうちは働いた方が、体のためにかえっていいかもしれませんね」

「そうなんですよ。わたしも、ああして、関川さんのところに行くようになってから、病気ひとつしませんからね」

今西は雑談をしながら、どのようにして、きき出そうかと考えていた。

やがて、ワンタンが二つ運ばれた。

「さあ、どうぞ」

「遠慮しませんよ」

中村トヨは、にっこり笑って割箸を口で割った。うまそうに音を立ててワンタンの汁を吸いはじめる。

「どうです、関川さんは気むずかしい人ですか?」

今西ははじめた。

「いいえ、それほどでもありません」

ワンタンを口で嚙みながら、彼女は答えた。

「なにしろ、あなた、ほかに家族がいないので、こちらの気は、至って楽です」

「しかし、モノを書く人は、気むずかしい人が多いそうじゃありませんか？」

「そうですね、原稿を書いてらっしゃるときは、自分の部屋に閉じこもって、絶対に、わたしでもはいらせてくれません。まあ、わたしの方からすれば、かえって、楽なんですが」

「仕事中は、ドアを閉めていますか？」

「ええ、鍵こそ掛けませんが、内側でしっかりと閉めています」

「それは、相当、長い時間ですか？　いや、その部屋にこもっている間ですよ」

「その日によっていろいろですね。長いときは、五六時間も出てこないことがあります」

「その書斎は、どういう具合になっているんですか？」

今西栄太郎は中村トヨにきいた。

「そこは洋間みたいになっています。八畳ぐらいですがね。北向きの窓に机が置いてあって、あとはすぐ傍に、関川さんが一人で寝られる寝台が置いてあり、本箱が壁に並んでいるといった具合です」

今西は、できるならその書斎というのを見たかった。

しかし、便宜上、興信所の者と名乗っているが、その偽名で他人の部屋をあらためることは、職務上の良心が許さなかった。警察官は、いかなる家屋といえども、居住主の承諾なくしてははいることができない。許されるのは、家宅捜索令状を持っているときだけである。

今西は、自分が興信所員だと、嘘を言っているだけでも、良心が咎めていた。

しかし、これはやむを得なかった。正面から刑事と言えば、中村トヨは恐怖して一言もしゃべらないに違いない。

「あの家の窓はどんな具合ですか？」

今西はきいた。

「窓は北側に二つと、南側に三つほどあります。それと西に二つ、東が入口のドアになっていますからね」

「なるほど」

今西はだいたいの図形を、頭のなかに描いた。

「けれど……」

中村トヨは、ふと不審を起こしたように、ワンタンを口の中でかみながら、今西の顔を見た。

「そんなことが、結婚調査に必要なんですか？」

今西は、ちょっとうろたえた。

「やあ、実は、その、なんですな、やはり、先方のご希望で、関川さんの生活状態も、知りたいというわけですよ」

彼は取りつくろった。

「そうですか。娘さんを嫁る親御さんの身になってみれば、細かいことまで知りたいでしょうね」

中村トヨは簡単にうなずいた。

「まあ、これは、わたしの推量ですが」

と、彼女の方から進んで話してくれた。

「関川さんは、ああしてモノを書いていらっしゃいますが、あの若さにかかわらず、なんというか、売れっ子というんでしょうね。相当いそがしいんですよ。収入のほうも、普通のサラリーマンだと課長ぐらいかな、と、いつか、わたしにそう言って、笑っていましたから」

「なるほど、そんなに収入があるのかね」

「ええ、お仕事も結構ございますよ。それに、ときどき雑誌の座談会だとか、ラジオの放送だとか、こまごましたことがありますからね。何ですか、わたしにはむずかしくて、よくわかりませんが、うちの息子の話によると、たいそう若手として人気者なんだそうですってね」

「そうらしいですな」

「そんな具合で、もしお嫁さんが来ても、生活の方は、大丈夫ですよ」

「わかりました。それは、先方に言えば安心するでしょう。ところでもう一つ、安心させてやりたいんですが、関川さんは、女友だちがありますかね?」

「そうですね」

中村トヨは、ワンタンの汁をがぶりと飲んだ。

「まだ若い人だし、男前だってそう悪くなし、あれほどの収入と、世間的な名前があるのですから、恋人のない方がふしぎでしょう」

ワンタンの丼の最後の汁をすって、中村トヨは口のあたりをハンカチでぬぐった。

「それでは、女はいるんですか？」

今西栄太郎は、体を前屈みにさせた。

「わたしは、あると思いますね」

「関川さんは、女の人を自分の家には連れてこないのですか？」

「ええ、それは一度もありません」

「では、恋人があるとどうしてわかるのですか？」

「ときどき、電話がかかってくるんです」

「あなたはそれを聞いたことがあるんですか？」

「電話は二つあって、関川さんの部屋に切り換えるようになっています。向こうからかかってくる電話を、たびたび、聞いたことがありますわ。まだ若い人らしく、いい声ですよ」

「なるほど、名前は？」

「いつも名前を言いません。関川さんに取り次いでくれたら、すぐわかるというのです。ですから、普通の間柄ではないと思います」

「なるほどね。で、最近はかかってきましたか？」

「いいえ、聞きません。そういえば、ここんとこ、ちょっと途切れているようですね。もっとも、その電話はしじゅうかかってくるわけではありません。そうですね、月に二三回というところでしょうか」

「それはまた、少ないですな。あなたは、その関川さんと、その女とが電話で話しているところを、聞いたことがありますか？」

「それはないです。いつも、関川さんが書斎で聞いていますからね」

「しかし、何か素振りでわかるでしょう。たとえば、深い関係にある相手か、そうでない、ただの女友だちだかは？」

「わたしは、かなり深い間柄ではないかと思いますよ。でも、これはわたしの想像ですよ。たしかなことはわかりません」

「電話がかかってくる女の声というのは、そのひと一人ですか？」

「いいえ、一人ではありません」

「なに、一人ではない？」

「ええ、それは何人かあります。でも、それは関川さんのお仕事の関係らしく、わたしの前でも平気で話しています。ただ、絶対に書斎で話すのが、その女のひと一人です。もっとも前のことはわかりませんがね」

「………」

「そういうことが、縁談のさしさわりに、なるんでしょうか？」

中村トヨは、少し心配そうな顔をした。

「いや、それは適当に先方に言っておきましょう。その女とはもう関係がないでしょうから」

　今西はうっかり口をすべらせた。

「あら、どうして、あなた、そんなことがわかりますの？」

　中村トヨは、びっくりした顔をした。

「いや、何となくそんな気がするだけです。そうそう、もう一つ、たずねたいことがありますよ」

　今西は茶を飲んで言った。

「今月の六日の晩には、関川さんは家にいましたか、それとも外に出ていましたか？」

「六日ですって。五日前ですね。さあ、どうだったかしら……。なにしろ、わたしは、あの家には、夜の八時かぎりで帰りますからね」

　中村トヨは答えた。

「そのあとのことはわかりません。けれど、六日の日というと、関川さんは、確か、わたしが帰るより二時間ぐらい前に、外出したと思いますよ」

「どうして、それがわかりますか。いや、六日という日づけが、はっきりしているんですか？」

「その日は、わたしの嫁の親が来ましたからね。息子夫婦が、今日は早く帰ってくれ、といったので、その日を覚えていますよ」

「ああ、そうですか。では、六日の午後六時ごろから関川さんは確実に家を出たわけですね？」

「そうです。そんなことまで、あなたの調査に必要なんですか？」

中村トヨは、だんだん、うさんくさそうな顔になった。

「いや、ちょっと、気がかりなことがあったので、おたずねしたのです。しかし、何でもないことですよ。ところで、あなたは」

今西栄太郎は話を換えた。

「関川さんのところに女の電話がかかってきて、それを関川さんが書斎で話すのは、一人だと言いましたね。それ以前のことはわからないとも言いましたね？」

「ええ」

「いや、私がききたいのは、そういう電話が掛かってくるのは、あなたの知っているかぎり、一人だけではないという気がするんですよ。どうでしょう？」

「そうですね」

おばさんは考えていたが、

「まあ、めでたい縁談のことですから、あんまり、関川さんに都合の悪いことを言っても具合が悪いでしょう」

「いや、どうぞ遠慮なしに言ってください。先方に伝えていいことと、悪いこととは、ちゃんと、これで区別するつもりですから」

「そうですか。実は、あなたのお察しのとおりなんですよ」

おばさんは白状した。

「関川さんが必ず書斎に電話をとるのは、実は、もう一人、女のひとがいました。けれど、ここしばらく、そっちの女からは掛かってきませんね」

「それは、いつごろから、電話が掛かってこなくなりましたか？」

今西栄太郎は中村トヨの口もとを見つめた。

「そうですね。もう一カ月以上にはなりますね」

今西栄太郎は、はっとした。成瀬リエ子が自殺したのは、そのころではなかったか。

待て待て、これは、もっとよく聞いておかねばならない。

「そっちのほうの女の名前は、わかりませんか？」

「わかりませんよ。やっぱり、関川さんを呼んでくれというだけです。わたしの考えでは、あれはバーの女ではないかと思いますね」

「バーの女？」

今西は、少し当てがはずれた。成瀬リエ子は劇団の事務員だったのだ。

中村トヨはつづけた。

「とてもはすっぱな言葉づかいでしたよ。口のきき方も乱暴なくらいなんです」

少し妙だった。成瀬リエ子がそんな口のきき方をしただろうか。

しかし、時期は合うのだ。トヨの電話の聞き具合で、成瀬リエ子の声をそう感じたのかもしれないと、今西は思い直した。

「その人からは、たしかに一カ月ぐらい前から掛かってこなくなったんですね？」

「そうなんですよ。このごろは、さっきも言ったとおり、きれいな声の女、一人だけです」

二人の間にちょっと沈黙が落ちた。今西が考えこんだものだから、中村トヨは、じろじろと彼の顔を見ている。

「関川さんは、友だちを自分の家に連れてきて、いっしょに遊ぶということはありませんか？」

今西はふたたび質問をはじめた。

「いいえ、それはあまりありません。どういうものか、あの人は人嫌いの方ですからね。友だちを遊びにこさせることは、めったにないんですよ。ただ、お客さまといえば、雑誌の編集者ぐらいなもんです」

「なるほどね。しかし、外では相当遊んでいるんではないですかね。夜なんか帰りが遅いでしょう？」

「今も言ったとおり」

と、中村トヨは述べた。

「わたしは八時までですから、そのあとのことはわかりません。でも、おっしゃるように、夜は遅く帰ってくるようですね。近所の人の話では、午前一時ごろに自動車のとまる音がするそうです」

「やはり若いんだな。ところで、また、話が変わりますが、あなたは関川さんがどこで生まれたか知っていますか？」

「あの人は、あんまり自分のことをわたしに言いませんよ」

中村トヨは、ちょっと不満そうに答えた。

「でも、そういうことは、戸籍をみれば、わかるでしょう？」

「わかります。わたしの方も、一応、抄本を取ってみたんですがね。東京の目黒が本籍になっています」

「東京ですって？」

おばさんは考えこんでいた。

「さあ、どうでしょう。生まれは東京とは思えませんがね。いえ、わたしは下町生まれですから、地方のことはわかりませんが、あの人の言葉は、根っからの東京人ではありませんよ」

「では、どこだと思います？」

「それはわかりません。でも、そんな気がするんです。へえ、抄本に本籍が東京と書いてあるんですか？」

「あります」

だが、今西には関川重雄が東京生まれでないことはわかっている。目黒区役所に行って戸籍の原簿をみせてもらったのだが、本籍は他所からの転籍になっているのだった。

「いろいろ、ありがとうございました」

今西刑事は、中村トヨにていねいにおじぎをした。

「いえ、わたしの方こそご馳走になりました」

中村トヨと別れて、今西は都電へ出る坂道を上った。埃っぽい風が足もとに舞っている。今西は肩をすぼめ、うつむきながら歩いた。

4

それから四日たった。今西が出先から本庁に戻ると、机の上に封書が二通置いてあった。一通は横手市役所からで、一通は横手警察署からだった。

今西は、横手市役所の方から封を切った。

「ご照会の関川重雄氏の本籍に関する件をご回答申しあげます。

関川重雄氏は、当市字山内一三六一番地から、昭和三十二年に東京都目黒区柿ノ木坂一〇二八番地に転籍となっております」

これは、目黒区役所の原籍簿で調べてわかった転籍事項について念のため、転出先を確かめたのだった。

つづいて、彼は横手警察署の封を切った。

「前略、捜一第二五〇九号のご照会について、左のとおりご回答申しあげます。

横手市字山内一三六一番地に付き調査いたしましたところ、現在は農機具販売商山田正太郎（当五一歳）所有の家屋となっており、現在、同人が居住しております。

同人に付き、関川重雄のこと及び同人父関川徹太郎及び同人母シゲ子の生前の様子を尋ねたところ、同人は右三人についてはいっこうに知識がない旨を答えました。

同人の申し立てによると、同番地に移ってきたのは昭和十八年で当時は雑貨商桜井秀雄所有になっており、それ以前のことはわからない、と言っております。

なお、右桜井秀雄について調査したところ、同人は関西方面に移住した由にて、同人についてこのうえお取調べの際は、大阪市東成区住吉××番地の転住先へご照会願いとうございます。

なお、関川一家について心当たりの市民を尋ねましたところ、右事情を知る該当者なく、やむなく調査を打ち切りました。

右ご回答申しあげます」


今西栄太郎はがっかりした。

これで秋田県横手市における関川重雄の消息は断たれたのである。

だが、今西は最後の努力を傾けた。それは、大阪に転住したという桜井某である。この男なら、関川重雄の父徹太郎を知っているかもしれない。ただし、当人が大阪の転住先にいるかどうかは不明だった。

とにかく、どこまでも糸をたぐってゆくのだ。

今西は、机の引出しから、役所の複写便箋を取り出して、照会状を鉄筆で書きはじめた。それを書きあげて、封筒に入れ、宛名を書いたとき、若い刑事が今西の横にきた。

「今西さん、あなたあてに小包ですよ」

「いや、すまん」

小包は細長いものだった。

荷札の表には「東京警視庁捜査一課内今西栄太郎様」とあり、裏は「島根県仁多郡仁多町、亀嵩算盤株式会社」と、これだけは印刷で、その横に「桐原小十郎」と筆書きしてあった。

今西栄太郎は、さっそく、その包みを解いた。

中から、ケースにはいった算盤が出てきた。ケースの表には「雲州特産亀嵩算盤」とある。

今西は、算盤を出した。ちょうど、手ごろの大きさである。枠は黒檀で、玉もすべすべして重い。全体が黒光りしている。今西は指で玉を弾いてみたが、実にすべりがよかった。

桐原小十郎といえば、この夏、出雲言葉を聞きに亀嵩まで行って会った老人だ。

今西は桐原老人を忘れていたが、老人の方は、今西を忘れていなかったのである。

桐原老人が今ごろどうしてこういうものを贈ってくれたのか、今西はちょっと見当がつかなかった。

ほかに手紙がついていないので、老人の意図はわからないが、たぶん、何かのついでに思い出して送ってくれたのかもしれない。

彼は、その算盤をケースに収めようとして差し入れたところ、折り畳んだ紙がケースの中から押し出されてきた。それが添え手紙で、いかにも桐原老人らしいやり方だった。

今西はそれをひらいた。

「拝啓、その後如何お過し候やお尋ね申し上げ候。小生不相変、雲州の山間にて逼塞致し居り候。この度、愚息の経営になる工場にて新製品出来致し候。この品は在来の規格型をやや縮小し、事務上の便宜を考え、新工夫にて試作せるものに候。その試作品を愚息より小生に頒け呉れ候えば、失礼ながら貴殿に一丁謹呈仕り候。幸い今夏御来遊の想出のよすがともなり候えば、欣快これに過ぎたるは御座無く候。

算盤の掌にひえびえと秋の村

小十郎

今西栄太郎様」

田舎の人は親切だ。今西栄太郎は亀嵩の茶室造りの庭を目に浮かべた。そこにすわっているしなびたような老人の声が、この手紙からも聞こえそうだった。句も桐原老人にふさわしい。

その家は、江戸時代の古い俳人がしばしば立ち寄ったところである。今西も俳句を詠むので、老人の手紙がいっそう親切に思えた。

あのとき遠いところを訪ねていったのだが、目的を遂げずに帰ってきた。ただ、副産物としては桐原老人と知りあったことである。聞きとりにくい老人のズーズー弁が、彼の耳によみがえった。

ズーズー弁といえば、ずいぶん迷わされたものだ。この関川重雄も東北生まれらしい。

今西栄太郎は、亀嵩算盤を引出しにていねいにしまって、机の上に頬杖をついた。

関川重雄は、幼時に目黒に住んでいた高田富二郎という人に引き取られている。学校の記録簿を見せてもらったところでは、高田は関川重雄の親戚となっているが、戸籍面ではそうではないのだ。

それでは、高田富二郎は東北の生まれかというと、原籍地は東京になっている。関川重雄の場合のように、よそからの転籍ではないのだ。

東京生まれの高田富二郎と、秋田県横手に生まれた関川重雄と、いったいどのような関係で結ばれたのであろうか。親戚でないことは、戸籍簿ではっきりしている。

せめて、横手の方に、死んだ関川徹太郎を知っている人間がいたら、あるいは、この辺の事情がわかるかもしれないのだが、横手警察署の回答は、その望みを裏切っている。

残るはかない希望は、関川徹太郎がいた家に、昔、居住していたといわれる桜井秀雄なる男だ。この人は、大阪に転住しているので、この方に手がかりがつけば、多少の期待は持てるかもしれない。

しかし、これまでの調査からみて、これもまず、むだであろうと、今西は浮かぬ顔で考えていた。

第十二章　混迷

1

今西栄太郎には、関川重雄について、さまざまな条件が設定されている。
(一)　蒲田(かまた)の殺人事件のとき、被害者の連れ(犯人)にも、微(かす)かに訛(なま)りがあった。
×関川重雄は秋田県横手生まれである。犯人は蒲田からさほど遠くないところに住んでいたと思える。現場を操車場にえらんだのも、その辺の地理に詳しいと思われる節がある。

×関川重雄は目黒区中目黒二一〇三番地である。蒲田と目黒とは目蒲線で利用できる。
(二)　犯人は、被害者三木謙一を殺害したとき、相当な返り血を浴びていると思われる。それで、犯行後は電車を利用したとは思われない。タクシーを調べたが、該当者の発見はなかった。
しかし、届け出がないからといってタクシーの線が全くないとはいえない。運転手に血痕(けっこん)のことを気づかれないで乗車できるし、ことに夜だから、いくらでもごまかしがきく。別な考え方には自家用車の使用がある。

×関川重雄は運転免許を持っている。しかし、彼は自家用車は持っていない。

×成瀬リエ子は血痕のついたシャツを小さく切って、中央線の夜汽車で撒いた。つまり、
(三) 犯人は返り血のついたものを処分する。
成瀬リエ子は犯人とは何かの関係を持っていた。

×成瀬リエ子と関川の線はまだ浮かんでこない。しかし、成瀬リエ子は失恋めいた文句を書いて、自殺している。その自殺は失恋による打撃ではなく、彼女が犯人に協力したという道徳的責任ともみられるようだ。

しかし、現在のところ、関川重雄と成瀬リエ子との関係は浮かんでこない。だが、彼女は内気な性格で男友だちの噂もなかったようだから、それだけで関川との間が何もなかったとは言いきれない。だれにも知られずに交渉を持っていたと考えられないこともない。

成瀬リエ子は前衛劇団の事務員だった。そこには、奇妙な死にかたをした俳優宮田邦郎が所属している。宮田と関川重雄とは、仕事の関係から面識はあった。ヌーボー・グループというのが、前衛劇団の後援者の存在だったから、その線で関川重雄は成瀬リエ子と知りあった機会は考えられる。
(四) 成瀬リエ子の死は、はっきり自殺である。遺書めいた謎の文句でもわかるように、彼女の死の原因は失恋と推定されている。
×関川重雄は、三浦恵美子と関係があった。恵美子が死んだときには、すでに妊娠四カ月

である。

×成瀬リエ子の失恋が恵美子の存在を知ったときにはじまったとしても、不合理ではない。宮田邦郎は成瀬リエ子に心を寄せていたようだ。したがって、彼が成瀬リエ子と関川重雄の間を察知していたとしてもふしぎではない。彼は今西栄太郎に何かを話したがっていた。その話はたいそう重大だった。宮田自身が一日考えさせてくれと言ったくらいである。その宮田が急死した場所は、世田谷区粕谷町××番地という寂しい土地だ。

×目黒と世田谷とは近接している。関川重雄の自宅から、宮田邦郎の倒れていた現場まではタクシーで二十分ぐらいである。

蒲田殺人事件当日の関川重雄のアリバイを追及する方法はない。

すでに五カ月も経っていることだし、だれの記憶もうすれている。

ただ、三浦恵美子の死んだ時間には、関川は自宅にいなかった。これは、関川の家で家政婦として働いている中村トヨの証言だ。

次に恵美子自身の問題である。

彼女は、川口の今西の妹の家を、午後おそくに出ている。そして祖師ヶ谷の久保田という新しい間借りの家には、だいたい、八時ごろ着いたという。もっとも、久保田の家では、荷物の到着した音で、恵美子がそのときに来たものと考えたらしい。

事実は恵美子の姿を見たのではないのだ。

すると、荷物だけが裏の離れ座敷に運ばれて、本人はあんがい、来なかったかもしれないという推定も可能である。

医者がふしぎな男の電話で呼び出されたのは、だいたい十一時ごろだ。このとき恵美子はすでに死の直前だった。

このようなことから考えて、八時ごろ、荷物だけは着いたが、彼女は久保田の家には到着していなかったのかもしれないのである。

すると、川口の妹の家を出て、バーで話をつけたあと、彼女はどこにいたのであろうか？

医者の診断によると、彼女は転倒して流産し、その出血のために死亡したのだが、その転倒場所はいったいどこか。

それが久保田の家でないことはわかる。今西は監察医務院の医者の話で、強打したものは、たとえば丸っこい石のようなものだと聞かされた。ところが、久保田家の離れにはそのようなものは見当たらないのだ。

そこで、ひとまず今西が立てた想定は、次のような順序になる。

恵美子の荷物は、運送屋の手で川口の妹の家から出たが、いったん、その店に置き、しばらくして若い男が取りにきた。それは、二回に分けて運搬された。

その往復には三時間かかったという。終了時がだいたい八時ごろである。これは久保田家の言うことと合う。

その間、恵美子は銀座からすぐにその祖師ヶ谷には行かず、別な場所にいた。荷物だけはあの若い男が運んだのだ。つまり、銀座のバーを出てから、祖師ヶ谷の久保田家に医者が呼ばれるまでの恵美子の行動が全く不明なのである。

これさえはっきりわかれば、今西も落ちつける。だがこの鍵（かぎ）を一番握っているのは、例の荷物を運んだ男だ。それと、医者に電話した男である。たぶん、この二つは同一人であろう。

今西は、考えれば考えるほどわからなくなってくる。が、ふと自分が殺人事件でも何でもない、ただの病死をしきりと追っていることに気づいた。恵美子の死は自然死なのだ。

今西は鉛筆で顎（あご）を叩（たた）いたが、気分を変えたように机の前の電話のダイヤルをまわした。

「吉村君かい？」

今西は送受器に話しかけた。

「そうです。あ、今西さんですね」

久しぶりの声だった。後輩だったが、長く会わないと何となくなつかしくなってくる。それも、いま考えあぐねて頭が痛くなっているときだから、一種の休息をこの若い刑事に求めたかった。

「お元気ですか。すっかりご無沙汰（ぶさた）しています」

吉村の声は笑いを含んでいた。

「どうだい。帰りに久しぶりに落ちあおうか？」

「結構ですね」

「忙しいかね？」

「そうでもありません。今西さんこそどうです？」

「とくに忙しいほどでもない。とにかく会おう」

「わかりました。じゃ、いつものところですね？」

「ああ」

電話を切った。

本庁の勤務時間がすむと、今西はそのまま渋谷に向かった。ガード横の小さなおでん屋だ。

六時半というと、この界隈は人出の盛りだったが、おでん屋の中は空いていた。

「いらっしゃい」

おかみさんが鍋の向こうで、今西に笑顔をつくった。

「お待ちかねですよ」

おかみさんは、いつも、二人連れで来る顔をおぼえている。

隅で吉村は笑いながら手をあげた。

「ここですよ」

今西は吉村とならんだ。

「しばらくですね」

「ほんとうだ。——おかみさん、さっそく、つけてもらおうか」

彼は吉村の方を向いた。

「どうだね？」

その先は低声になって、

「例の操車場の方は、あれっきりかい？」

こういう場所で、そんな話をしたくないのだが、吉村の顔を見ると、その質問がおさえきれなかった。それを考えていた矢先なのである。

吉村は軽く頭を振った。

「何も出てきません。ぼくは暇をみては、やっているんですが」

捜査本部が解散されると、あとは任意捜査となるが、ともすると、事件捜査は半分打ち切られた形になる。刑事が個人的によほど熱心でないと、捜査の継続はむずかしいのだ。

「大変だね」

今西は、吉村と、運ばれてきた酒のコップを合わせた。

しばらく二人は無口になっていた。

「今西さんの方はどうです？」

吉村がきいた。

「いや、ぼつぼつやっているけれどね。君とおんなじで一向にはかがいかない」

今西は、自分の考えていることを話したかった。話しながら何かいい知恵が途中で浮かびそうな気もする。だが、酒を飲みはじめたばかりで、まだその気分になれなかった。そのうち、吉村に打ちあけるつもりだった。

こうして気心の知れた若い同僚と酒を飲むのは、いいことだった。もやもやとした今までの気分が、この時間だけでも軽くなった。

「今西さんと東北の方に行ってから、もう五カ月になりますね」

吉村が話しかけた。

「そうだね。六月になろうというときだった……」

「あんがい暑かったのを覚えていますよ。ぼくは東北だからと思って下着なんか厚目のを着ていったんですが」

「早いものだな」

今西は酒を含んで目を細めた。

あれから、いろいろなことがあった。ずいぶん、長く経ったようでもあるし、吉村の言うように短い時間のようでもある。

そのあとには、今西は出雲まで飛んでいるのだから、あの捜査は充実感があった。

このとき、吉村の肩を、一人の男が軽く叩いた。

「よう」

吉村が振り向いて、その男に笑った。

「久しぶりだな」

今西が見ると、彼の知らない人間だった。年齢(とし)ごろは吉村と同じくらいである。

「元気か？」

吉村がきいた。

「元気だ」

「いま、何をやっている？」

「保険の外交をやっているよ。どうも、うだつがあがらない」

このとき、吉村が今西にそっとささやいた。

「ぼくの小学校の友だちです。すみません。五分ばかり、奴と話しますから」

「ああ、かまわないよ。ゆっくり話しておいで」

今西はうなずいた。

吉村はそばを離れていく。

今西は一人になった。

その様子が寂しげに見えたのか、おかみさんが気をきかせて新聞を出してくれた。

「ありがとう」

夕刊だった。今西はそれをひろげた。

格別の記事はない。

それでも、退屈まぎれに新聞を繰ってみた。秋の家庭記事などが大きくのっている。学芸欄には音楽・美術の催しなどについて読物ふうに書いてあった。

今西は、その見出しを眺めているうちに、ふと、目がなじみ深い活字に当たった。

「関川重雄」の四文字だ。

この秋の音楽界のことで、関川重雄が短い文章を書いているのだった。

今西はコップを置いて、急にその記事を覗きこんだ。

《和賀英良の仕事》

というのが、その小文の題であった。

今西はポケットから急いで眼鏡をとりだし、耳にかけた。電灯の光だと、眼鏡なしには小さな活字が読めないようになってしまった。

新聞にはこう書いてある。

「今年の音楽界も、去年に引きつづいて、前衛音楽の理論が盛んである。しかし、理論のあげつらいは、芸術それ自体の前には意味をなさない。

前衛音楽といえば、すでに和賀英良などは新進作曲家とは言えなくなった。数年前、もの珍しげにミュージック・コンクレートや電子音楽をのぞき見していた批評家連中は、和賀英良の試みなど、外国流の直訳者としかみていなかった。事実、数年前の和賀英良は、そう言われても仕方のないところもあった。

しかし、現在の和賀英良は、かずかずの独自の作品を発表して、直訳を卒業し、創作者となっている。もちろん、個々の作品についてはそれぞれの欠陥があり、われわれの側からしても言い分があった。事実、私なども、彼にはかなり辛辣(しんらつ)な作品評をしてきたのである。

しかし、この新しい音楽を、もはや、だれもが是認しなければならなくなった現在、和賀英良の存在を認めなければならない。言葉を換えていえば、彼はそれだけ成長したのである。

実際、外国から直輸入した場合は、そのお手本が外国作品に依らざるを得ないのは当然だ。このことは、和賀英良の不名誉にはならない。十九世紀の前期の絵画が、いかにセザンヌの真似であったか。また、飛鳥中期の絵画が、どのように隋唐の模倣であったか。音楽といえども、この宿命的な原始模倣からのがれることができない。問題は、それがいかに消化されるか、いかに独自性をその中から産み出すかにかかる。

和賀英良の芸術は、彼がその前衛音楽に打ちこんで以来二年にしか満たないが、ふり返ってみて、改めてその成長ぶりに驚く。われわれが個々の作品について目を奪われているときに、いつのまにか、彼は時間の流れと共にここまで成長していたのである。少しずつだが、そして確実にだが、和賀英良は西欧の影響から離れて、彼本来の独創性を創造しつつある。

もとより、この新しい芸術に目を奪われて、それに流れこんでくる追随者は多い。だが、確実な基盤をもつ和賀英良の実力には、とうてい及びもつかない。短い期間だが、それを一つの歴史としてながめるとき、私は目をみはるのである。たゆまず努力を重ねてようやく実らせた、その豊かな才能によって、さらに飛躍することを彼に期待したい」

今西はこれだけ読んで、おや、と思った。

音楽のことは、もちろん、何もわからない。また、こんな理論めいた文章も苦手だった。

しかし、この前、関川重雄が和賀英良のことについて書いた批評と、今、この新聞で読んだ文章とは、かなり調子が違っているように思えた。

素人だからよくわからないが、前よりも今度のが、ずいぶんほめてあるように感じる。

今西は自分の考えを確かめるため、もう一度、初めから読み直したとき、吉村が隣に帰ってきた。

「失礼しました」

と、彼は今西に並んですわった。

「君」

と、今西栄太郎は吉村に新聞を見せた。

「ほう、関川重雄ですね」

吉村もその活字が一番に目にはいった。

「まあ、読んでみたまえ」

吉村は黙って読みはじめた。しばらく活字を追っていたが、読み終わると、

「なるほどね」

と、片肱をついた。

「どうだね。その文章はぼくにはよくわからないが、やっぱり、和賀英良をほめているんだろうね？」

「それは、そうですよ」

吉村は一も二もなく言った。

「たいへんなほめ方です」

「ふむ」

今西は、ちょっと考えていたが、

「批評家というものは短い期間で評価が違うものかな」

と呟いた。

「どういう意味ですか?」

「つまりね、まえに、この関川が和賀英良の音楽のことを、書いたのを読んだことがあるがね。こんなにほめていなかったよ」

「そうですか」

「文句は、もう忘れてしまったが、何だか、それほど買っていないような言葉だった。ところが、これを読むと、そのときの印象とまるで違うと思うね。ひどくほめている」

「批評家の言うことは」

と、吉村が言った。

「ときどき、気まぐれがあるそうですからね」

「ほほう、そんなもんかね」

「いや、ぼくもよく知りませんが、ぼくたちの友だちにジャーナリストがいましてね。そいつから聞いたんです。裏話がいろいろありますが、要するに、批評家も人間ですから、そのときの気分しだいで、批評が違ってくるんだそうです」

「そうすると、これを書いたときの関川重雄も、気分がよかったのかな」

「そうですね。しかし、これを見ると、だいたい、近ごろの活動に対する、総まとめの批評といったようなところですから、あんがい、花を持たせているのではないでしょうか」

吉村はうがったことを言った。

「そうかな」

今西は、わからないといった顔をしている。わからないというのは、彼自身がこのような文章の世界になじみが薄いからだ。しかし、とにかく人をほめるのは悪くないことだ。

今西は吉村と飲みながら、やっと、彼に自分の調査を話す気分になれた。

しかし、それは、関川重雄をかなり被疑者に近い線で考えていることなのだ。いくら相手が吉村でも、それを打ちあけるには慎重にしなければならなかった。

いま、新聞記事で関川の名前を見て、今西は気を変えた。しばらく話を待とうと思った。説明は、いつでもできる。もう少し自分の考えを練ってからでも遅くはないのだ。

「今西さん、そろそろ切りあげましょうか？」

吉村が先に言った。もう銚子(ちょうし)も四五本あけていた。

「そうだね、ちょうどいい気分にもなった。出ようか？」

しかし、今西には、関川の批評がまだ心にひっかかっている。

「おい、勘定」

今西が言うと、吉村があわてて、

「いや、今日はぼくが払いますよ。いつも、今西さんにばかりご馳走(ちそう)になっていますから」

と、ポケットに手を入れた。

「こんなことは、年寄りに出させるものだよ」

今西はとめた。

おかみさんは、ぶかっこうな大きな算盤(そろばん)をひき寄せ、勘定の計算をしている。

今西は、それを見て自分のコートのポケットに突っこんである「亀嵩算盤(かめだけ)」を思い出した。

「吉村君、いいものを見せてあげよう」

「はあ、何ですか？」

今西は横に置いたコートをたぐりよせた。

「これだよ」

ポケットから箱入りの算盤を出した。

「ほう、亀嵩算盤ですね」

吉村がレッテルを読んだ。

「全部で七百五十円です。毎度ありがとうございます」

おかみさんが勘定を告げた。

「おい、おかみさん、これを見なさい」

今西は、吉村が手に持っている算盤に、顎(あご)をしゃくった。

黒い艶(つや)のある小さな玉の一つ一つが、電灯の光を溜(た)めている。

吉村は気持ちよさそうに指先で玉を弾いていた。

「なかなか、すべりがいいですね」

「算盤としては、日本一だそうだ。地元の業者の宣伝文句なんだがね。しかし、この実物を見ると、まんざら、誇大でもなさそうだな」

「どこで、できますの？」

おかみさんがのぞきこんだ。

「出雲(いずも)の、つまり、島根県の奥の方だ。すごい山の中でね」

「どれ、ちょっと、わたしにも見せてください」

おかみさんはそれを手に取って、吉村と同じように、ためすように玉を弾いていたが、

「すてきな算盤だわね」

と、今西の方を向いて言った。

「今年の夏、この算盤の生産地に行ったことがある。そのとき、向こうに知合いができてね。今度、これを送ってくれたのだ」

と、今西は説明した。

「あら、そうですか」

「へえ、最近、送ってきたのですか？」

吉村が横から今西の顔をのぞいて、すぐ言った。

「そうなんだ。今日、着いてね」

「先方では、また、何を思い出したんでしょう?」

「いや、例のぼくが会った桐原(きりはら)という老人がね、息子の工場で造ったものだ、と言って贈呈してくれたんだ」

「ああ、いつか、うかがいましたね」

吉村はうなずいた。

「やはり田舎の人は律義(りちぎ)ですね」

「そうだ。ぼくもちょっと意外だったよ。この夏、一度きりしか行ったことがない先だからね」

今西は勘定を払った。

「毎度ありがとうございます」

おかみさんが頭を下げた。

今西は、算盤をコートのポケットにまた突っこんで、吉村といっしょにおでん屋を出た。

「おもしろいものだね」

今西は吉村と肩を並べて歩いていた。

「亀嵩のことなどすっかり忘れていたころに、こんなものを送ってもらった」

「あのときは、今西さんもだいぶん張り切って出雲に行かれたんですがね」

「そうなんだ。今度こそは、と思って気負いこんで行ったがね。暑い盛りだった。しかし、もう、二度とあの山の中に行くことはあるまい。こういう仕事をしていればこそ、思いもよらない土地に行くんだね」

ガードの横を歩いた。

「そうだ、桐原という老人から、自作の俳句を手紙に書いてきたよ……。算盤の掌にひえびえと秋の村」

「なるほどね。句のうまい下手は、ぼくにはわかりませんが、実感だけは出ていますね。俳句といえば、今西さんのも、ここ当分、見せてもらっていませんね」

「忙しいからね」

吉村の言うとおりだった。ここのところ、句帳も空白のままになっている。

それほど事件に追われて走りまわっているというわけでもないのだが、心のゆとりのないことは、やはりこういうところに現われる。

「今晩、君に会ってよかったよ」

今西は洩らした。

「どうしてですか？　あまりお話も聞けなかったようですが」

「いや、君と会っただけでなんとなく気が晴れた」

「今西さんは、例の一件をこつこつとやっているんでしょう。そして、今、何か小さな壁みたいなものに突き当たっているんじゃないですか？」

「まあ、そういうところだな」

今西は顔を手でつるりとなでた。

「いろいろ話したいことはある。しかし、現在、ぼくの頭は、正直、混乱してるんだ」

「わかります」

吉村刑事は微笑した。

「しかし、今西さんのことですから、すぐにそれが一本になると思いますよ。ぼくは、それまで楽しみにして待っていますよ」

2

今西が家に帰ったのは十時ごろだった。

「お茶漬がほしいな」

と、彼は妻の芳子に言った。

「吉村君と一杯やっていたんだ」

「吉村さん、お元気でした?」

妻は今西の上着をぬがしながら言った。

「ああ」

「少しは、家に顔をおみせになったらいいのに」

「いそがしいんだろう」

「いそがしいといえば、あなたも相変わらずね」

妻は、今西がこの二三日つづけて遅く帰ってくるので、そう思っているらしい。今西は、家族に仕事のことは、多くを言わないことにしている。

「こんなものをもらったよ」

彼は、コートから算盤を出した。

「へええ」

手に取ってみて箱から出した。

「まあ、りっぱな算盤ですわ。どなたから？」

「今年の夏、島根県に行ったとき、向こうで知りあった算盤屋の老人だ」

「ああ、あのときの？」

妻はうなずいた。彼女は今西の出発を東京駅に見送っている。

「これをおまえにやるよ」

今西は言った。

「それで、せいぜい家計簿をつけて、むだのないようにしてくれ」

「うちのような貧弱な家計では、こんな立派な算盤が泣きますわ」

それでも芳子は大事そうにして箪笥にしまった。

今西が机の上に便箋を出して、桐原小十郎あての礼状の文句を考えているとき、

「さあ、支度ができましたよ」

と、妻が呼びにきた。今西は万年筆をおいて立ちあがった。

食卓の上には、大根の煮付けと鰯の味醂干しとがのっている。

「大根がおいしくなりましたよ」

芳子が今西の茶碗に茶をそそぎながら言った。

「うむ」

今西は、音を立てて茶漬をかきこんだ。

「蒲田か……」

今西は呟く。

「え、何ですか？」

芳子がのぞきこんできいた。

「いや、何でもない」

今西は味醂干しを嚙み、大根を食べる。

蒲田か、と口に出たのは、思わざる呟きだったのだ。

今西は飯を食べるときに一つの癖がある。何か考えごとがあると、食事中に頭の方がそれに集中される。飯を食べ、おかずを舌にのせながら、ひとりで思索にふけるのだ。食事が思考の一種のリズム感になる。

こういうときに、彼は前後の連絡なしに呟く。

呟くことで、思考が明確になるのだ。いま、蒲田と言ったのは、むろん、あの事件を頭の中で反芻していたのだった。

遅い食事が終わった。

今西は、机の前に移り、便箋に礼状の文句を書きはじめる。

「ご無沙汰をしております。

このたびは思いがけない逸品をご恵贈くださいましてありがとうございました。思いもよらないことでしたので、びっくりしました。算盤を拝見しましたが、われわれ素人目にもなかなかの出来で、長く大切に保存したいと思います。ただ、残念なのは、私などにはせっかくの逸品を活用できないことです。

しかし、御地でこのような立派な算盤ができることを、今後、機会あるごとに、人に吹聴したいと思います。

亀嵩算盤を拝見していますと、仰せのように、私が御地に伺ったときの記憶がまざまざと浮かびます。あの節は本当にありがとうございました。また、算盤にちなんだ御作の俳句、思い出深く拝見いたしました。

御地も秋を迎えて、町を包んだ四囲の山々のみごとさがしのばれます……」

ここまで一気に書いてきて、今西は文章を読みなおした。

さて、これからどう書くべきか。ここで締めくくりをしてもいいが、礼状としてちょっとあっけない。

自分も桐原老人をまねて、お返しの俳句を作って添えようかと思った。しかし、いい考えが浮かばない。近ごろ、俳句作りをしないので、この方面の頭脳(あたま)の働きも鈍(にぶ)くなってきたようだ。

今西がペンを止めて考えていると、芳子が茶を運んできた。

「礼状ですか?」

と、覗きこんだ。

今西は、それを機会に煙草(たばこ)を一服つける。

「何かお礼に、こちらからお返しをお送りした方がいいんじゃないですか」

芳子が言った。

「そうだな、何がいいだろう?」

「そうですね。東京のものというと、格別なものがありませんね。やっぱり浅草海苔(あさくさのり)なんかが無難でいいんじゃないですか」

「明日、デパートに行って送ってくれないか、しかし、高いだろう?」

「高いといっても、千円も出せばちょっと見られますわ」

「じゃ、そうしてくれ」

今西は、手紙の文句の末尾に(なお、粗品を別送いたしました。ご笑納くだされればありがたいと思います)という文句を忘れずに書こうと思った。

だが、煙草の吸いがらはうず高くなったが、俳句はなかなかできない。いたずらに、桐原小十郎の顔つきばかりが目の前に浮かぶ。

その時だった——。

今西は、何か電気にでも打たれたようになった。頭の中を斜めに切って光が走るのを感じた。彼は煙草の灰が膝に落ちるまで凝然としていた。そのまま十分間ぐらいじっとしていた。が、急に夢から覚めたようになると、手紙の続きを猛烈な勢いで書きはじめた。それは、今まで予定していたしめくくりの文句とは全く違っていた。

3

今西栄太郎は朝起きると、もう一本手紙を書いた。

昨夜は遅くまでかかって、桐原老人あてに書いたのだが、しかし、もう一つ、手紙を出すべき相手があった。

それを思いついたのは、今朝、寝床の中である。

今西は目のあくのが早い方だった。寝床で煙草をゆっくり一本すうのが習慣になっている。こういうときに、ふと、思わぬ考えが起こるものだ。どこかにまだ眠気が残っているような弛緩した意識の状態のなかで、下から浮きあがってくる泡のように、ぽかんと思いつきが出てくる。

——蒲田操車場で殺された三木謙一は、伊勢参宮後すぐ東京に出てきた。これは、養子の三木彰吉が警視庁に来て述べたことだ。

このときは、伊勢参宮をすませたらすぐ帰る予定が、途中で気が変わって東京見物になった、と簡単に考えていた。

だが、三木謙一にその予定を変えさせた、何かがあったのではないか。単純に気が変わったというだけで説明できない必然性があったのではないか。

三木謙一が、伊勢参宮の途中で東京行に切り換えたのは、彼が殺される原因にも、つながっているように思える——。

今西栄太郎は、煙草を灰皿にこすりつけると、寝床から起きあがって、顔を洗い、机の前にすわった。

昨夜書いた桐原老人あての手紙が、封筒に入れたまま置いてある。彼はまた昨夜の便箋に書きはじめた。宛名は三木彰吉だった。

「その後、お変わりございませんか。

私は警視庁の捜査課の刑事です。お忘れになったかもしれませんが、あなたがご尊父の不幸について上京されたとき、お話を伺った者です。

ご承知のように、あの事件は、いまだに犯人の手がかりが掴めず、われわれは、捜査本部を解散したからといって、犯人の追及をやめているわけではございません。あくまでも憎むべき犯人を探し出し、一日でも早くご尊父の霊を慰めてさしあげたいと思います。また、捜査にたずさわるわれわれとしては、どのような手を尽くしてでも犯人を捕えずにはおきません。絶対に迷宮入りにはさせないつもりであります。

事件はたいへん困難な状態になりました。解決に向かうためには、どうしても、ご遺族の方々のご協力を得なければ効果に期待がもてないのであります。

つきましては、ご尊父が伊勢参宮に出発された以後、東京の蒲田の現場で遺体が発見されるまでの間、どのような場所を旅行されていたか、おわかりになればお知らせ願いたいと思います。

たとえば、何日にはどこのどういう宿に泊まられたかが、わかれば、一番ありがたいと思います。

あのとき、おたずねしたと思いますが、そのときのご返事には、旅行途中の絵はがきが来ただけだ、と言っておられましたが、その後、以上のようなことが判明していれば、詳細にご報知ください」

それから五日経った。

その五日間、今西栄太郎に格別の変化はない。小さな新しい事件を二つ三つ手掛けたくらいだった。だが、これはすぐに解決がついた。

その晩、今西が帰宅すると机の上に封書がのっていた。裏を返すと「岡山県江見町××通

り　三木彰吉」と几帳面な書体でペン書きしてあった。

今西は着替えもしないで、さっそくそれをひらいた。

この返事を待っていたのだ。


「拝復　お手紙拝見いたしました。亡父のことについていろいろお手数をわずらわしまして恐縮しております。

また、お手紙によって、亡父のために犯人追及に日夜ご努力くださっていると承り、感激しております。遺族としましては、できるかぎり捜査にご協力いたしたいのですが、非力のためにお役に立たないのを、残念に思っております。

亡父は私の口から申しますとおかしいようですが、再三、申しあげましたように、人に情けをかけこそすれ、決して他人の恨みを買うような人ではなく、全くの善人でございます。こういう人を殺した犯人がいつまでもわからない道理はなく、天道もそれを許さないと思います。私どもは毎朝毎晩仏壇にお線香を上げて犯人逮捕を祈っております。

ご質問の件は、次のようにご回答申しあげます。

亡父が旅先から出した絵はがきは全部で八通ございます。
○四月十日付――岡山駅前　大宮旅館
○四月十二日付――琴平町××　讃岐旅館
○四月十八日付――京都駅前　御所旅館

○四月二十五日付――比叡山にて
○四月二十七日付――奈良市油小路　山田旅館
○五月一日付――吉野にて
○五月四日付――名古屋駅前　松村旅館
○五月九日付――伊勢市××町　二見旅館

だいたい、以上のとおりです。

これでもわかるとおり、亡父は当市を四月七日に出発して以来、各地を気ままに旅しております。たとえば、岡山市で一泊したのは近くの後楽園や倉敷などにも行き、知人を訪ねております。讃岐に渡ったのは、もちろん、金比羅さまにお詣りして高松から屋島を見物したものと思います。亡父は、いつもそれを口にしていましたから。

京都では、たっぷりと滞在し、琵琶湖や、比叡山に登っております。さらに、吉野まで足を伸ばし、旧跡を訪ねております。亡父は、史跡に興味を持っておりました。

名古屋でも、四日ほど見物して歩いております。それから、いよいよ念願の伊勢参宮をしたわけです。

これらは、みんな絵はがきですが、それに書かれた短い通信文も、実に楽しい旅をしているという感想ばかりです。

亡父は伊勢参宮をすまして、すぐに帰郷する予定になっていました。現に、名古屋からのはがきにも、あと三日したら、郷里に帰ると書かれております。そこには、東京行のこと、一言も触れておりません」

今西栄太郎は、その翌日も一通の手紙を受け取った。これは達筆な筆文字で書かれている。島根県の桐原小十郎老人からだった。墨文字がよくうつる。なかの便箋も、風雅な和紙だった。

今西栄太郎は、その便箋五枚にわたって書かれた文章を読んだ。三木謙一に関するこちらからの問合わせの回答だった。

今西は、それを何度も読み返した。

それは、元巡査三木謙一の「善行」について、詳細にしたためられたものだった。三木謙一の当時の善行は、たびたび、これまで聞いている。桐原老人の手紙は、それをもっと具体的にしたものだった。

今西は、それを引出しの中に大事にしまった。そこには、昨日来た三木彰吉からの手紙も、いっしょに納まっている。

今西栄太郎は、その日一日中、考えごとにふけった。本庁に出て仕事をしていても、その考えが頭から離れなかった。そして、ある所に問合わせの手紙を書いた。

夕方、今西は係長のところに行って、二日間の休暇をもらうことにした。

「珍しいね」

と、係長は今西の顔を見て笑った。

「君が二日つづきの休暇願いを出すことは、これまでなかったね？」

「はあ」

今西は頭を掻いた。

「少し疲れたようですから……」

「大事にするがいい。休暇は、三日間でも四日間でもいいよ」

「いいえ、二日間で結構です」

「どこかに出かけるかい？」

「はあ。伊豆あたりの温泉に行って、のんびり湯に浸ってきたいと思います」

「そりゃあいい考えだ。なにしろ、君も働き通してきたからね。人間、休息しないと、疲労からとんだ病気にかからぬともかぎらない。ま、湯にでもはいって、按摩を呼んで、ぐっすり寝てくることだな」

係長は、今西の休暇願いに自分の判を捺し、課長のところへ出してくれた。

今西は、早目に本庁を出ると、大急ぎで家に帰った。

「ちょっと、旅行してくるよ。これからすぐ発つから、支度をしてくれ」

「出張なの？」

芳子は、今西のそわそわした様子を見てきいた。

「出張じゃない。休暇だ。二日ほど関西の方に行ってくる」

「関西？　あら、急ね。どうしてそんなこと思い立ったんですか？」

「何でもいいよ。急に、汽車に乗って遠くへ行ってみたくなったんだ」

「今夜の汽車なの？」

「そうだ。思い立ったら、一日でもはやく行きたくなった」

「一人で？」

「一人だ」

「妙だわ。何か用事があるんでしょ？」

「いや、用事なんかはない。お伊勢さまにお詣りしてくるだけだよ」

芳子は呆れたように笑った。

「へえ。そりゃまたどうした風の吹きまわしかしら？」

4

列車は翌朝、名古屋駅に着いた。

今西栄太郎はホームを歩いて、近鉄の参宮線に乗り換えた。

伊勢市には二時間ぐらいで着く。

今西には、伊勢市というと、どうも気持ちにぴたりと来ない。昔から言いならされた宇治山田市のほうが、いかにも伊勢参宮に来たという気持ちがするのだ。

戦前に一度来たことがあるが、市内はあまり変わっていなかった。

二見旅館というのはすぐわかった。駅から歩いて五六分のところである。宿の前をそれとなく見て通ったが、団体客を送り出しているところで、ごった返していた。

まだ十時ごろだった。

今すぐ宿に行くよりも、もう少し時間が経った方がいい。旅館は、午ごろが一番ゆっくりとしている。ものをきくには、そのころが都合がよさそうだ。

今西栄太郎は、その間にもと思って、伊勢神宮へ向かった。せっかくここまで来たことだし、参拝をすまさずに帰る気にはなれない。今西栄太郎は、大正のはじめに生まれた男だ。

内宮は、前に来たときとあまり変わっていなかった。参拝者も多い。

ただ、このあいだの台風に痛めつけられたとかで、境内の樹木が折れたり、枯れたりしている。

今西は、昨日、思い立ったばかりで、今日、自分が伊勢神宮に来ているのかと、妙な気がした。

参拝を一時間ばかりで切りあげ、二見旅館の前に戻ると、玄関は静かになって、掃除もすんでいた。

今西栄太郎は、水のまかれた玄関先に立った。

こういう旅は、本来なら、土地の警察に名刺を通して捜査の協力を頼むのだが、今度は、正式な捜査で来たのではなかった。

今西にしてみれば、果たして成果が上がるかどうか自信がなかったのだ。前に、東北と山陰に出張して、その遠距離旅行が二つともむだに終わっている。彼としてはそんな遠慮からも、係長には打ちあけられなかったのである。

玄関には、若い女中が掃除支度のままで出てきた。

「いらっしゃいませ」

客と見て、あわてて手を突いた。

通された部屋は、二階の裏側である。この新館は、表は駅にまっすぐに通じる広い道路だが、裏側は街の屋根がごたごたと見えるだけの、殺風景な展望だった。

空に飛行機が一機、ゆっくりと飛んでいる。

玄関に出た女中とは違った女が茶を運んできた。

「おねえさん」

今西は、自分の名刺を出した。

「私はこういう者だが、ご主人かおかみさんがおられたら、ちょっとお目にかかりたい、と言ってくれないか?」

女中は、今西の名刺を手に取って、ちょっとびっくりしたような顔をした。

「少々、お待ちくださいませ」

名刺には、東京警視庁捜査一課の肩書きがついている。

今西栄太郎は、主人か、おかみさんが上がってくるのを、煙草をすいながら待っていた。

窓には屋根ばかりがひろがっている。その中にひときわ大きく見えるのが、映画館らしかった。

床には、伊勢神宮の森をうつした水墨画がかかっている。別の壁には、二見ヶ浦(ふたみがうら)の夫婦岩(めおといわ)を写した色紙が丸額になって下がっていた。

そんなものを順々に見ているうちに、二十分ぐらいすぎた。

「ごめんくださいまし」

襖(ふすま)の外で男の声が聞こえた。

「どうぞ」

今西がすわったまま答えると、襖をあけて姿を見せたのは、頭の禿(は)げあがった五十ばかりの男だった。

「いらっしゃいまし」

襖を閉めてから、その男が今西の前に堅くなって挨拶(あいさつ)をした。

「私はこの家の主人でございます。ご遠方をご苦労さまです」

正式には公用ではないので、今西も気がさしたが、ものをきくには、やはり、正面から名乗った方が、手っとり早いし、便利がいい。

「さあ、どうぞ、こちらへ」

今西は、主人という男を、自分の前に招いた。

「ありがとうございます」

接客業者というのは、たいてい、警察の人間に丁重である。この宿の主人の態度にも、客というよりも、警察官への低い物腰が露(あら)わに現われていた。

「いつ、こちらへお見えになりましたか？」

　主人は今西にきいた。

「昨夜、発ちましてね。今朝、着いたばかりです」

　今西は、できるだけ愛想(あいそ)のいい顔をした。

「それは、さぞ、お疲れでございましょう」

　主人は、ものを言うたびに頭を下げた。東京の警視庁から、わざわざ来たというので、主人は、内心では気がかりのようだった。

　旅館となると、いろいろな人を泊める。盗難もある。手配中の犯人もいる。そういうことが、あとで旅館側に思わぬ面倒を起こすのである。

「実は、少々、お伺いしたいことがありましてね、東京から来たようなわけですよ」

　今西は、おだやかに言い出した。

「ははあ、さようですか」

　主人は小さな目で今西を見つめた。

「いや、ご心配になるようなことではありません。参考までに、お尋ねするだけですから」

「はあ」

「今年の五月九日に、お宅に泊まったお客さんのことで知りたいのですよ。お手数ですが、ちょっと、宿帳を見せてくれませんか？」

「へえへえ、かしこまりました」

主人は卓上の電話を取って、宿帳を持ってくるように命じた。

「しかし、何でございますね。旦那方も大変でございますね」

主人は、やや安心したか、多少気軽そうに今西をねぎらった。

「ええ、まあ……仕事ですからね」

「しかし、東京の警視庁の方がお見えになるのは初めてでございますよ。いえ、こういう商売をしておりますから、土地の警察署にはしじゅうご迷惑をかけておりますが」

話の途中に女中がはいってきた。

主人は女中から宿帳を受け取った。

「ええと、五月九日でございますね？」

「そうです」

主人は綴じた伝票を繰っている。

近ごろの宿帳は、昔のように帳面ではなく、伝票形式になっている。

「ございました。この辺が五月九日でございますが」

主人は、今西の方に顔を上げた。

「何とおっしゃるかたでしょう？」

「三木謙一という人です」

今西が言うと、

「三木さん？ ああ、ちょうど、ここでしたよ」

主人はそのまま今西に「宿泊人名簿」をまわした。

今西はそれを受け取って、目をこらした。

「現住所　岡山県江見町××通り。職業　雑貨商。氏名三木謙一。五十一歳」

いかにも律義そうな字体だし、省略のない字である。

今西は、この文字にじっと見入った。殺された不幸な三木謙一の筆跡だ。この文字と、今西自身が蒲田操車場で実地検証したときの無残な死体とが、どう考えても結びつかなかった。

この文字を宿帳に書いたとき、三木謙一も、自分の前途に悲惨な運命があるなどとは思ってもみなかったであろう。彼は岡山県の山奥から、一生の思い出に四国に渡り、近畿の名所を訪ね、ようやく、念願の伊勢参宮に来たのである。そう考えてみると、思いなしか、その字体も心の張りつめが見られるようだ。

名簿の横には「澄子（すみこ）」と係り女中の名前があった。

「この人は、九日に一泊しかしていませんね？」

今西は主人にきいた。

「はい、さようで」

主人も宿帳を覗きこむ。

「ご主人は、このお客さんをご存じないでしょうね？」

「へえ、私は、ずっと奥の方にいるものですから、どうも」

「澄子さんというのが係り女中さんですね？」

「そうです。おたずねのことがあったら、澄子をここに呼びましょうか」

「お願いします」

主人はまた電話を取って、その女中に来るように命じた。

澄子は、二十二三ばかりの、背は低いが、いかにも働き者のような女中だった。身なりはあまりかまっていないが、頰（ほお）が赤い。

「澄子。このお客さまが、おまえの受け持ったこのお客さんのことで、何かおたずねになりたいそうだ。憶（おぼ）えてるとおりのことを、みんなお話し申しあげてくれ」

主人は女中に言った。

「あなたが澄子さんですね？」

今西は笑い顔で言った。

「はい」

「あなたはおぼえてるかな？　宿帳には、あなたが受け持ったことになってるが、こういう人に記憶はありますか？」

今西は宿帳を女中の前に見せた。

澄子はじっと見ていたが、

「萩（はぎ）ノ間（ま）ですね」

と、ひとり言のように呟（つぶや）いて考えていたが、

「あ、憶えています。その人なら、確かにわたしが受け持った人です」

とはっきり答えた。

女中が憶えていると言ったものだから、今西栄太郎は客の人相・特徴を述べさせた。

すると、女中の申し立ては、正しく三木謙一に間違いないのだ。

「言葉はどうでした？」

今西はきいた。

「そうですね、ちょっと変わった言葉でしたよ。何だかズーズー弁のようでしたから、わたしは東北の方ではないかと思いましたわ」

今西は、もう絶対的だと思った。

「そんなに聞きとりにくかったかね？」

「はい。はっきりしないんです。それで、宿帳には岡山県と書いてありましたが、お客さまは東北のかたではないでしょうか、と言うと、そのお客さんは、よく言葉で間違えられるんですよ、と言って笑っておられました」

「東北弁と間違えられると言ったんだね？」

「そうなんです。自分が長くいた村も、こういう訛りを使うんだとおっしゃっていました」

女中の話からすると、三木謙一は、かなりこの女中と心安く口をきいていたらしい。

「そのお客さんは、ここに泊まったとき、別に変わった様子はなかったかね？」

「はい。これという、変わったそぶりはありませんでした。ちょうど、この家に着かれた時は、昼間、神宮さまにお詣りしたあとで、明日は郷里に帰るのだ、とおっしゃっていました。

そうですね。変わったことといえば、そう言ってらしたのに、急に翌日になって、東京に行くとおっしゃったことです」

「ははあ、その翌る日ですね、東京に行くと言い出したのは？」

そこが大事なところだ。

「そうです」

すると、三木謙一が郷里に帰る予定を変更したのは、この宿に泊まった翌る日だったことがはっきりした。

「そのお客さんが、この宿にはいったのは、何時ごろですか？」

「夕方でした。確か六時ごろだったと思います」

「宿にはいったきり、一度も外に出ませんでしたか？」

「いえ、お出かけになりましたよ」

今西栄太郎はこの外出に注意した。

というのは、この伊勢神宮には全国の人が参拝に来る。三木謙一は外出のとき、途中で偶然だれか知った人間と出会わなかっただろうか。

その偶然のめぐり合いが、三木謙一に東京行を決心させた原因ではなかろうか――。

「それは、ただの散歩でしたか？」

彼は女中に質問をつづけた。

「いえ、映画を見にいくとおっしゃっていました」

「映画？」

「退屈だから、映画でも見てくる、映画館はどこかときかれたので、わたしがお教えしました。ほら、この窓から見えるでしょう。あの高い建物です」

それは、さきほど今西が窓から覗（のぞ）いて、自分も見ている映画館だった。

「それで、映画館から帰ったのは何時ごろですか？」

今西栄太郎は女中にきいた。

「そうです。九時半ごろではなかったでしょうか。確かそのころだと思います」

「つまり、映画がハネたころですね」

「そうです」

今西栄太郎は、ちょっと失望した。

もし、三木謙一が映画を見にいく途中でだれかと出会ったのなら、宿に帰る時間はもっと早くなるか、もっと遅くなるかしているはずだ。映画がハネた時間に帰ったとすると、まず、彼はだれにも会わなかったと、考えねばなるまい。

「部屋に帰ったときのお客さんの様子はどうでした？　もう、ずいぶん前のことだから、あなたも憶えていないかもしれないけれど、よく考えてみてください」

「そうですね」

女中は、そこにすわっている主人の顔をちらと見て首をかしげた。

「大事なところだから、おまえもよく考えて、間違いのないように返事をするんだよ」

主人も口を添えた。

そう言われると、女中もいよいよ真剣な顔になった。

今西は、すこしあわてた。

「いや、そう堅く考えなくてもいいですよ。気軽に思い出したままを言ってください」

「そうですね」

女中はやっと答えた。

「お帰りになったときは、別段、変わっていないようでしたよ。ただ、次の朝の朝御飯の時間を少し延ばしたいとおっしゃっただけです」

「つまり、翌る日がお客さんの出発する日でしたね？」

「そうなんです。はじめは、郷里の方へ帰るから、朝御飯は八時ごろにしてくれ、九時二十分の汽車に乗りたいから、とおっしゃっていたんです」

「それが、どう変わったんですか？」

「朝飯は十時でいい。都合によって夕方までこの宿にいるかもしれないと言われたんです」

「夕方までね」

今西は膝を進めた。

「それは、どういう理由か言いませんでしたか？」

「別に何もおっしゃいませんでした。ただ、しきりと何か考えごとをしているようなふうでしたわ。あまり、わたしにも、ものをおっしゃいませんでしたので、わたしもお寝みなさい、と言っただけで、すぐに引き退(さが)りました」

「なるほど。で、次の朝はその時間どおりでしたか?」

「はい。そのとおりに十時には朝食を出しました」

「それから、夕方まで部屋にいたんですね?」

「いいえ、そうじゃありません。お昼すぎごろから映画館においでになったんです」

「なに、映画館?」

今西はおどろいた。

「よくよく、映画がお好きな人ですな」

「いいえ、それが、同じ映画館でしたわ。わたしが途中まで用事があったので、いっしょに行ったのでわかります」

「昨夜、見たばかりの映画を、もう一度見に行ったわけですな?」

今度は、今西がじっと考えこむ番だった。

旅先で同じ映画を二度もつづけて見る――それも子供でも若い者でもない、すでに五十を過ぎた老人なのだ。

その映画の何が三木謙一の興味をとらえたのか。

「次の日、その映画を見て帰り、その夜、この宿を発(た)ったわけですね」

今西は女中にきいた。

「はい。そうです」

「何時の汽車で出発しましたか」

「それは、わたしが帳場の時刻表を見て教えましたからわかります」

と、主人は言った。

「部屋から電話で問合わせてきたので、二十二時二十分の名古屋発上り準急に接続する近鉄電車を教えました」

「それは、東京駅に何時に着くのですか？」

「東京駅は翌日の午前五時です。よくこの列車を利用して東京に行かれるお客さまが多いので、おぼえております」

「ここを出発するときも、そのお客さんは別に変わったことは言いませんでしたか？」

今西栄太郎は、また女中の顔に目を戻した。

「いいえ、気がつきませんでした。ただ昨夜まで岡山県の方に帰るように言っていたので、なぜ、東京の方にお出掛けになるのか、と、ちょっとききました」

「うんうん、それで？」

「急に思い立ったんだと言っておられました」

「急に思い立った、それだけですか？」

「はい。そのほかのことは、ききません」

「なるほど」

今西は、ちょっと考えたが、

「その、お客さんが見た映画というのは、なんだったのですか？」

「さあ、それはよく憶えていません」

「じゃあ、いいです。それは、こちらで調べたらわかるでしょう。いや、どうもお忙しいところをありがとうございました」

「もう、それくらいでよろしいですか？」

主人が横から口を出した。

「ええ、たいへん参考になりました。ご主人、会計してくれませんか」

「あ、もうお発ちですか？」

「ぼくも、その列車を利用させてもらって、東京に帰りたいと思います。まだ時間の余裕があるようですから」

「そうですか」

今西栄太郎は、支払いをすませて旅館を出た。

しかし、まっすぐ駅に行くのではなく、そのまま映画館に向かった。

映画館は商店街の中にある。表には、けばけばしい絵看板があがっている。時代ものを二つやっている。

モギリ嬢に、支配人に会いたい、と言って名刺を出すと、奥に案内してくれた。

館の暗い裏側にまわると閉めきった部屋がある。ドアをあけると、だだっ広いところで、職人が次に上映される映画の看板をドロ絵具で描いていた。支配人というのは、手を後ろに組んで立って見ていたが、今西の名刺を見ると、愛想よく迎えた。

「つかぬことをうかがいますが、五月九日の上映映画は何だったかわかるでしょうか？」

今西はさっそくきいた。

「五月九日の上映映画ですって？」

支配人は、東京の刑事が唐突なことをきいたので、おどろいて言った。

「ええ、その映画の題名を知りたいのです」

今西は言った。

「ははあ、それが、なにか事件にでも関係があるのですか？」

「いや、ちょっと参考までに知りたいだけです。すぐわかりますか？」

「調べれば、わけはありませんよ」

支配人は今西をつれて、その部屋を出た。

今度は映写室の近くの事務室だった。壁には、映画のポスターがべたべたと貼られ、机の上には書類が乱雑に置かれてある。若い男が、一人で帳面を見てソロバンをはじいていた。

「おい、五月九日にうちのコヤにかかってた写真は何だったかな。調べてくれんか」

若い男は目の前の帳簿を抜きとった。

ページを繰っていたが、それはすぐにわかった。

「一つは『利根の風雲』、それから『男の爆発』です」

「お聞きのとおりですよ」

と、支配人が横から今西に言った。

「一つは時代劇、一つは現代劇です」

「どこの映画ですか？」

「うちは南映映画専属ですから、どちらも南映の作品です」

「すみませんが、その映画のパンフレットといいますか、役者の名前の出ているものはありませんか？」

「もう、だいぶ前の写真ですから、あるかどうか。ちょっと、その辺を見させましょう」

支配人は若い男に命じた。

若い男は、机の引出しや隅の棚などを探していたが、幾つも重なったポスター類の下から、一枚の紙を抜き出してきた。

「やっとありましたよ」

支配人はパンフレットを受けとって、今西に手わたした。

「これがキャストです」

「どうも」

『利根の風雲』も『男の爆発』も、今の人気俳優が主演している。端役以下つまらない脇役でも、かなり役者名が出ていた。たとえば「女中ABC」とか「子分ABC」にも、丁寧に配役が書かれてある。

「この映画は、いま、どこかでやっていませんか？」

今西は、パンフレットをていねいに畳んで、ポケットに入れた。

「そうですね。ずいぶん、前のことですから、再映専門館でも、もう、やってはいないでしょうな」

「そういう場合は、フィルムは会社のほうに還(かえ)るんですか?」

「そうです。用がすめば会社に送りつけます。その映画も会社の倉庫にあるでしょうね」

「どうもありがとう」

今西は頭を下げた。

「あ、それだけでいいんですか。もしもし、その映画に何か事件がからんでいるんですか?」

そのときはもう、今西の背中は、事務室の外に出ていた。

第十三章　糸

1

今西栄太郎が東京に帰ってからの仕事は、映画会社と交渉することだった。

銀座にある南映映画会社の企画部に、彼は何度も足を運んだ。

『男の爆発』と『利根の風雲』、それに、伊勢で調べてもらったその時のニュース映画もいっしょに映写して見せてくれ、というのが今西の頼みだった。

映画会社は気軽にはひき受けなかった。フィルムは倉庫にあるから取り出すのはわけはないが、映写は、ちょっと困るというのである。

試写室は、いつも、ふさがっている。週に二回、新作映画ができるので、絶えず人を招いて試写会をやっている。それで、たった一人のために、二本もの映画を、三時間半もかけて映写するのは困るというのだ。

「いったい、そんな映画が何か犯罪の参考になるのですか？」

先方はきいた。

「参考というわけではないが、ある事情で、ぜひ、見せてもらいたいのです。映画館にかかっていれば、むろんそっちの方に行きますが、どこのコヤもやっていないので、あなたの方に頼むよりほかないのですよ。捜査に直接関係があるわけではないのですが、ぜひ、拝見したいのです」

今西は理由をはっきりと言えない。そこが辛かった。

警視庁の方から、正式に公文書か何かで申しこめばわけはないだろうが、今西としては、そこまで上司に上申できなかった。いわば、彼の思いつきだから、できるなら、自分個人で映画会社の好意を得たかった。

「では、そのうち、映写室が空いたら、お知らせしますよ」

先方はそこまでは言ってくれた。

だが、そう約束しても、容易にはその知らせがなかった。今西は、いらいらしながら三四日待った。

そのうち、頼んだ係りの人から電話がかかった。

「今日の午後から、映写室の都合がつきますから、いらしてください」

今西は、すぐに飛んでいった。

南映映画会社の試写室は、ある劇場の地下室になっている。

「どうも、お世話になります」

今西は、係りの人に礼を言った。

「やっと、空きましたのでね。まあ、ゆっくり見ていってください」

今西は、五六十人はたっぷりすわれる観客席のまん中に、たった一人でぽつんとすわった。

いつもは、批評家や新聞記者などの関係者を招んで、ほとんどいっぱいになるこの試写室が、今日は今西ひとりのために映画を写すのである。彼も気の毒でならなかった。

映画ははじまった。

いつもの映画館で見るのと違い、ここでは画面の広さが半分ぐらいだった。それでも、映画館で見る以上に声や音楽が澄んでいる。

まず最初はニュースだった。政治のトピックからはじまって社会ダネとなり、ひどい交通地獄の風景から、新しくできたローカル線の開通風景などが次々と写され、やがてスポーツ・トピックスとなって終わった。次は時代劇『利根の風雲』である。何でもそれは利根川をはさんでの博徒同士の喧嘩だった。飯岡助五郎一派と笹川繁蔵の一派とが、派手な出入りをやり、その間に平手造酒が活躍する。

今西は目を皿のようにして、またたきもしないで画面の流れを見つめた。むろん、筋のおもしろさからではない。彼はどんな端役でも、出てくる人物に対して凝視を怠らなかった。

『利根の風雲』は一時間半ですんだ。

今西栄太郎は溜息をついた。

終わり、という字が出て、場内は明るくなった。

画面が古いので、雨が降っている。今西は、画面に出てくるどんなつまらない人物でも、たとえば三下子分でも、通行人でも、捕手の一人でも、彼は真剣な注視を休まなかった。

そのため、映写が終わると、ひどく目が疲れていた。一つは、その映画に何の収穫もなかったからである。

五分ばかり休憩すると、

「次のを写します」

と、映写係が言ってきた。

「お願いします」

今西栄太郎は、座席にすわり直した。

やがて、また暗くなり『男の爆発』というタイトルが出た。

キャストは、だいたい、プログラムでわかっていたが、今西は役者の名前と顔を知らない。

映画はあまり見にいかない方で、どの名前の人間がどんな顔つきだか、不案内である。若いときは、それでも、映画館にはしげしげ通っていて、古い俳優たちは顔なじみなのだが、近ごろの若いスターにはいっこう知識がない。

『男の爆発』は、いま売出しの若手俳優が主役だった。これは、やはりヤクザもので、さかんにピストルが出てくる。今西は、やはり『利根の風雲』と同じように、どんな端役でも見のがさないようにした。ちょっとしか現われない通行人でも、バーの客でも、ヤクザの子分でも、一つ一つ、その顔にのぞき入った。

筋がさっぱり頭にはいらない。おぼろにわかることはやはり盛り場の顔役同士の縄張り争いで、それに主役となっている青年が痛快に暴れまわるという、たわいのない筋だった。

しかし、現代だけに、さかんに東京の場所が出てくる。バーの多い銀座裏はもとより、有楽町の人混みや、ビルの中や、はては晴海埠頭の倉庫街など、ロケーションが多い。したがって背景の人物もたくさんである。

今西栄太郎が興味をもっているのは、主役クラスの役者ではなかった。むしろ、端役や、臨時のエキストラなどに主として目を凝らした。

ついに一時間半が経った。

場内が明るくなったとき、今西は椅子に呆然とすわりこんでいた。

いまの映画にも、彼を満足させる人物はいなかったのである。

「これで全部すみましたよ。いかがでしたか?」

係りの人が言ってきた。

「どうも、ご面倒をかけました」

今西は椅子から立ちあがった。

「おかげさまで、ゆっくり見せていただき、これで納得しましたよ」

「そうですか。観覧者一人のために、とくに二本の映画を写したのは、あなたが、はじめてですよ」

係りの人は笑っていた。

「どうもすみません」

今西栄太郎は、地下室から表へ出たが、外の光が急にまぶしく、すこしの間、目をふさいでいた。

今西栄太郎は力ない足取りで、しばらく歩いた。発見は何もなかった。予想はみごとにはずれた。勢いこんで映画二つを見せてもらったが、発見は何もなかった。予想はみごとにはずれた。

三木謙一は、伊勢で『利根の風雲』と『男の爆発』を二回も見ている。子供ではあるまいし、彼が二回も見ているのは、その映画の中でとくに興味をひいた場面があったはずだ。

謙一はいったん、宿に帰ったものの、改めて、もう一度その映画を見たくなったのだ。それは、自分の目をさらに確かめるためだった。宿に帰ったとき、三木謙一がたいそう考えこんだ様子になっていたとは、あの宿の女中の証言である。

だが、今西がいま見た二つの劇映画にも、ニュース映画にも、三木謙一をして二度も見物させた重要な場面はなかったのだ。

2

今西栄太郎が本庁に戻ると、自分の机の上に茶色の封筒がのっていた。

封筒の裏には、岡山県児島郡××村「慈光園」とあった。

今西はすぐに封を切った。

これこそ、彼の待ちこがれたものだった。前に亀嵩の桐原老人にあてて依頼した用件で返事がきて、さらに、そのことに関連して、この慈光園に問合わせの手紙を出したのだった。

「ご照会の本浦千代吉さんのことについて、ご回答申しあげます。

本浦さんは、昭和十三年に島根県仁多郡仁多町役場よりの紹介にて当園にはいられました。その後、ずっと療養生活をつづけられましたが、昭和三十二年十月に昇天なさいました。原籍地には、死亡通知を出しております。

(原籍地　石川県江沼郡××村××番地)

なお、本浦さんが当園に療養中は、知人関係より一通の来信もなく、一人の見舞い客もありませんでした。

念のために、当方、手もとにある戸籍抄本を左記のとおり写しておきます。

父（氏名省略　死亡）
母（氏名省略　死亡）　長男
戸主　本浦千代吉
明治三十八年十月二十一日生
昭和三十二年十月二十八日死亡
妻　マサ
明治四十三年三月三日生
昭和十年六月一日死亡
（妻マサは石川県江沼郡山中町××番地　山下忠太郎次女。昭和四年四月十六日婚姻）
長男　秀夫
昭和六年九月二十三日生
右、簡単ながらご回答申しあげます。
慈光園　庶務課長　印
東京警視庁　捜査一課　第一係
巡査部長　今西栄太郎殿」
今西は、この文面にじっと見入った。

彼が、この簡単な文章から目を放すまで、たっぷりと煙草(たばこ)を一本はすいつくした。それは、むろん、回答文が難解だったからではない。ここに書かれてある戸籍抄本の写しから、さまざまな想像が彼に浮かぶからである。映画会社の試写室から帰ってきたときの疲れも、この一枚の手紙で、半分は癒(い)やされていた。

今西は律義(りちぎ)な男だった。彼は引出しから便箋(びんせん)を出して、さっそく礼状を書きはじめた。しかし、それだけではなかった。礼状が終わると、彼は次の新しい照会文をしたためていた。

「前略、突然ながら、左記の件をご調査くださるようお願い申しあげます。
石川県江沼郡山中町××番地山下忠太郎さんの近親者、および親戚(しんせき)の方が現存されておられましたら、住所・氏名をお知らせ願いとうございます」

あて先は、石川県山中警察署だった。

今西は書き終わったあと、読み返してみて、またペンであとをつけくわえた。

「右照会は、たいへん急ぎますので、恐れ入りますがよろしくお手配を願います」

今西が家に帰ったのは、八時ごろだった。

玄関は閉まっている。中は真暗で内側から錠がかかっていた。

女房の留守のときは、今西が帰っても鍵の所在がわかるようになっている。今西は、玄関横の植木鉢の底から鍵を取り出して、戸を開けた。

電灯を点けると、机の上に女房の走り書きが置いてあった。

「お雪さんが遊びにきたので、久しぶりに二人で映画に行ってきます。太郎は本郷に行っています。九時までには帰るつもりですが、おかずは戸棚の中に入れてありますから、召しあがってください」

今西は背広姿のままで、戸棚をあけた。近所の魚屋で作らせたらしいさしみと、大根と牛肉の煮合わせが盛ってある。

彼は食卓の上に皿を運んだ。

近ごろは、ジャーという便利なものができているので、こんな時間に飯櫃をあけても湯気が立っている。

火鉢の上にやかんがかかっていた。

今西は飯の上に茶をかけながら大根の煮たのをその上にのせた。冷たくなった大根と、熱い飯とが快い交錯で舌から喉に流れる。

一人で飯を食べながら、今日、岡山県の慈光園から回答のあった内容を考えていた。

飯を食べながら考えごとをするのはたのしい。女房がいないだけ、気持ちが乱されずにすんだ。

熱い食事が終わったせいか、ようやく、着替えをする気になった。楊枝を使いながら夕刊を何となく読んでいるところへ、玄関があく音がした。

「あら、帰っているわ」

という女房の声と、二人でクスクス笑っているのが聞こえてきた。

「ただいま」

女房がすこしぐあいの悪そうな笑い方をしてはいってきた。そのあとから、川口の妹がにこにこして顔を出した。

「すみません。お雪さんが来たので、つい、誘って行きました」

「あら、嘘よ。わたしが義姉さんを誘ったんだわ」

お互いに譲りあっていた。今西は新聞の続き物を読んでいる。

女二人は隣の間で着物を着替えながら、まだ映画の話をしていた。川口の妹は映画好きで、俳優の演技のことをしゃべっている。

妻がふだん着に着替えてきた。

「御飯、おすみになりまして？」

「ああ、食べた」

「あなたがお帰りになるまでに、わたしたちは帰るつもりでしたけれど……」

「はい、兄さん、おみやげ」

妹が甘栗の袋を差し出した。

「何だ、おまえ。今日は帰らないのか？」

妹は義姉のふだん着を着ていた。

「ええ、ウチのがまた出張しましてね」

「やれやれ、夫婦喧嘩といえばやってくるし、出張といえば泊まりにくる。困った奴だ。どうだ、映画はおもしろかったか？」

「まあね」

妻と妹とは、今西の横で、映画の評判をまだつづけていた。

今西は、新聞からちょっと顔を上げた。

「実は、おれも映画を見てきたんだ」

と、口を出した。

「あら、兄さん、ほんと？」

妹は、めったに映画など見ない兄におどろいていた。

「それで今夜おそくなったんですか？」

「まさか。おれのは仕事だ」

妻がきいた。

「へえ。刑事さんでも映画を見る仕事があるの？」

「場合によってはね」

「何をごらんになったの？」

「『男の爆発』と『利根の風雲』だ」

「あら」

妹は笑いだした。

「ずいぶん、古い映画ね」

「おまえ、知ってるのか？」

「見たことあるわ。もう、半年ぐらいたってるわ。つまらない映画でしょ」

「そうだな」

今西は、目を新聞に戻した。

妻が横で甘栗をむいていた。皮をむいては、中身を今西の読んでいる新聞の上に置いた。

新聞記事は退屈だったが、ほかに読むものがないので目をさらしているにすぎない。

「超硬質合金に穴あけ革命——強力超音波の応用　極東冶金(やきん)では、このほど強力超音波の原理を応用して、いままで不可能とされていた硬質金属の穴あけに成功した。これだと、従来の限られた切断機に見られない自由な穴あけが容易にできるのみならず、深部にまで徹底し、この技術の応用しだいでは、将来自由な形にくり抜ける可能性も出てきた。同社では、この技術革命によって、いままで隘路(あいろ)とされていた硬質合金の大量加工に一大飛躍が訪れる、と言っている。この工程によれば、従来のものより十倍の加工が可能とされ、革命的な技術完成と各方面で称されている。

なお、これは、任意の形の金属工具を被加工物に押し当てて、周波数一六―三〇キロサイクル、振幅一〇―三〇ミクロンの振動を与え、その間にカーボランダムなどの砥粒（しりゅう）を水に混ぜて供給してやると、工具の形どおりに穴があく。工具を回転させないから、円形でない異形の穴があくことにこの特徴がある」

――おもしろくない記事だ。どっちみち、目を漫然と活字に当てているだけで、耳には妹たちの話し声が聞こえている。

「映画も、ホンモノよりは予告編のほうがおもしろいわね」

妻が言っていた。

「そうよ。だって、予告編は、あとから客を呼ぶためにおもしろいところだけを編集しているんですもの」

妹が言っていた。

「今夜見た予告編も、ずいぶん、おもしろそうだったじゃない？」

「そうね」

今西は、新聞を捨てた。

「おい。映画館では、予告編を必ず上映するのか？」

「そのときの予告編ですね？」

翌日、今西栄太郎が映画会社に訪ねて行くと、顔なじみになった係りの人が、あまり嫌な顔もせずに帳簿を繰って調べてくれた。

「ああ、やっていますね。次週封切りの予告と予報と二つあります」

「予報というのは何ですか？」

「つまり、大作があると、それを一カ月ぐらい前から景気づけに宣伝するわけですね。次週封切り予告というのは、文字どおり次の週にかかるのを予告するやつです」

係りの人は説明した。

「次週封切りは何でしたか？」

「『はるかなる地平線』です。現代劇ですがね」

「予報のほうは？」

「それは、外国映画になっています」

「外国映画？」

それなら問題にならない。

「その画面には、日本人は一人も出ないわけですね」

今西は念を押した。

「もちろんです。アメリカの映画ですから、向こうのシーンばかりしか出てきません……。もっとも、その前に、東京でロードショウをやったときのスナップがくっついています。なにしろ、評判の大作ですから。ロードショウのときには、宮さまなどお揃いでこれを見ていますからね」

「ははあ、そういうのが、予報編に写っているわけですね」

「そうです」

「たびたび申しかねますが、それを見せていただけませんか？」

「さあ」

係りの者は当惑そうに首をかしげた。

「予告編は、そういつまでもフィルムは倉庫にありませんからね。いま残っていますかどうか、調べないとわかりませんよ」

「すると、一定の期間がくると、そのフィルムは廃品にしてしまうのですか？」

「そうです。そうでなくても、倉庫がフィルムでいっぱいですからね。期限がくると、どんどん処分していきます」

「その処分というのは、どうなさるんですか？」

「フィルムをズタズタに切って、屑屋に売りはらうんです。われわれは、この作業をジャックと呼んでいますがね」

「では、それを調べてくれませんか？」

係りの者は、フィルム倉庫に行っても、すぐにわかるというわけにはいかないから、あと一時間ぐらいして来てみてくれ、と言った。

今西栄太郎は、いったん、外に出た。

映画館で写す映画は、劇映画とニュース映画だけだと思っていたが、なるほど、予告編もあるのだ。それはわかっていながら、つい付録のような気がして思いつかなかった。こんなところにあんがいな盲点があった。

今西は一時間ばかりぶらぶら外を歩いて、映画会社に戻った。

「ああ、わかりましたよ」

係り員は、今西の顔を見て、さっそく、席を立ってきた。

「次週封切りの予告編の方はありましたがね。洋画の予報編は、やはり処分しています。惜しかったですね。たった三日前に屑屋に払ったばかりですよ」

次週封切りの予告編だけを見せてもらったが、あまり役に立たなかった。

『はるかなる地平線』というのだが、ただ場面のつなぎ合わせで、それに監督やカメラマンの姿がうろうろ写っているだけだった。

これは三分間ぐらいであっけなくすんだ。

「どうも、たびたび、お世話さまです」

今西は係りの者に恐縮した。昨日から彼のために、結局、四本を試写してもらったわけだ。

「予報編というのは、洋画でしたね？」

「そうです」

それは、すでにフィルムが切断されて、屑屋に処分したというのである。

「映画の題名は、何という名でしたか？」

「『世紀の道』というんです」

「それには、映画の場面のほか、ロードショウの公開風景がついているわけですね。確か、そう聞きましたが」

「そうなんです」

「プリントは何本かあるわけでしょうが、一本ぐらい、どこかに残っているということはありませんか?」

「さあ、ちょっと、考えられませんね。処分するとすれば全部ですからね。しかし、お話はよくわかりましたから、どこかに残っていたら、必ず、お知らせしましょう」

「ぜひ、お願いします」

今西としては、そう言うほかはなかった。処分したとなると、これは、どう探しようもない。

プリントがないのは残念だが、ほかに方法がないわけではない。

今西は吉村に電話をした。

「この間は失礼」

「いや、失礼しました」

吉村は言った。

「吉村君。君は映画が好きかね」

「何ですか、突然。それは好きは好きですけれど」

「『男の爆発』というのを見たかい？」

吉村の声が電話で笑っていた。

「それは、見なかったですよ」

「そうかね」

今西はちょっとがっかりした。が、必ずしも、その『男の爆発』のときだけ、『世紀の道』の予報編が上映されたとは限らない。

「君、『世紀の道』という洋画を見たかね？」

「ええ、それは見ました」

「では、その予報編はどうなんだね？」

「予報編というと、ずっと前から宣伝するやつですね？」

「そうだ、そうだ」

「ええと……あ、見ました、見ました」

「見たかね？」

「ええ、ロードショウの風景を記録したやつでしょう？」

「そうだ」

今西は叫んだ。

実際、それは叫んだと言っていい。

「君、さっそく、今日会いたいんだがね。その話を詳しく聞きたい」

「映画の話ですか？」

「そうなんだ。その予報編の内容だが、ぼくと会うまでに、できるかぎり思い出してきてくれたまえ」

今西は蒲田警察署に行った。

吉村は刑事部屋にいたが、今西の顔を見ると、すぐにいっしょに外に出た。

「署でお茶を飲んでもいいんですがね。どうも、ほかの連中の目があって、ゆっくり話ができません」

警察署の筋向かいに、小さい喫茶店があるので、そこにはいった。

「お帰んなさい」

吉村は今西に突然言った。今西が伊勢から帰ってから初めてなのだ。

「どうでした、向こうは？」

「いや、実は、それを話そうと思ってね」

ここで、今西は今までの経過を詳しく話した。

「そんな具合で、あれから帰って以来、カラまわりばかりしている。問題は、三木謙一が何を見て動かされたかだ。これは結局、外国映画の予報編しか考えられないのだ。ところが、こいつは映画会社で、もうフィルムを処分したそうだ。君がその予報編を見ていたら、どんな内容だったか、思い出して話してくれないかね？」

「そうですね」

吉村は腕を組んだ。

「だいぶん前のことですから、ほとんど忘れましたが……。予報編ですから、やはり、映画の内容の紹介が中心でしたよ。場面場面を編集したやつです」

「東京のロードショウ風景があったそうだな？」

「ありました。宮さまがご夫妻お揃いでその映画を見にきていて、盛んにそれが写っていましたよ」

「そのほか、どういう場面があった？　映画以外の話だが」

「そのほかは……」

吉村は、一生懸命、思い出すように下を向いていた。

「名士など出ていなかったかい？　会場風景といったようなところで……」

今西は暗示を与えるようにした。

「ありました、ありました」

吉村はたちまち、顔を起こした。

「そんなスナップが確かにありましたね。だれといって憶えていませんが」

「君、その中に例のヌーボー・グループの連中は写っていなかったかい？」

「待ってください。今それを考えているところです」

吉村は、もう一度、首をうなだれた。

「……いろいろ、出ていましたよ。小説家だとか、監督だとか、日本のスターだとか……」

彼はひとりごとのように、ゆっくり言っていたが、

「ヌーボー・グループという言葉はなかったんですが、どうも出ていたような気もします。若い芸術家というのがしきりとあったようにも思います。なにしろ、そのときは気にもとめないで見ていたので、どうも記憶が曖昧なんです」

「そうか」

吉村は記憶がはっきりしていないという。やはり、本物のフィルムを見るほかはない。だが、それは処分されて、ふたたび見ることは不可能なのだ。

しかし、今西は吉村の話でだいたいの見当はついたと思った。

よろしい、その画面にはヌーボー・グループが出ていたと仮定しておこう。三木謙一は、その連中のある人物の顔を見て、急に東京に行く決心になったのだ。

問題は、その顔がヌーボー・グループのだれかということである。


……………………………………

3

今西栄太郎の手帳には、つぎのようなメモが書いてある。

○関川重雄
昭和九年十月二十八日生
本籍　昭和三十二年・秋田県横手市より東京都目黒区柿ノ木坂一〇二八に転籍

現住所　目黒区中目黒二一〇三
父　関川徹太郎、母　シゲ子
家族　父は昭和十年に死亡
母は十二年に死亡　兄弟なし　独身

…………………………

〇×××
昭和八年十月二日生
本籍　大阪市浪速(なにわ)区恵比須(えびす)町二ノ一二〇
現住所　大田区田園調布六の八六七

…………………………

〇本浦千代吉
原籍地　石川県江沼郡××村××番地
明治三十八年十月二十一日生
昭和三十二年十月二十八日死亡
妻　マサ
明治四十三年三月三日生
昭和十年六月一日死亡
石川県江沼郡山中町××番地

山下忠太郎次女。昭和四年四月十六日婚姻
長男　秀夫
昭和六年九月二十三日生

……………………


ある人物の分が一枚加わっている。

今西栄太郎は、なぜ、この人物を手帳に書きくわえたか。

今西には、評論家関川重雄が、新聞紙上に書いた文章のことが、まだ気にかかっている。これとて、問題でないかもしれない。しかし、刑事はあらゆることを疑ってかからねばならぬ因果な商売だった。

もちろん、今西栄太郎にはむずかしいことはわからない。また、近ごろの評論家の書く文章には、はじめからこちらが劣等感をもっている。知的に積みあげられた荘厳な文章なのである。何を言っているのか、今西などにはのみこめない。関川重雄のあの文章は、わかりやすくはあったが、それも果たして、文字どおりに受け取っていいかどうか、彼には自信がなかった。

えてして、こういう評論家の書いているものには、文字の行間から、言わんとするところを察しなければならないようである。それを鋭敏に読みとらねば「日本語を知らない頭の悪い読者」と言われそうである。

とにかく、頭が悪くても何でもいい。今西は自分の感じたとおりを考える。

それに、ヌーボー・グループの中で、今西が関心を寄せているのは、関川重雄だけではない。ほかにも、いろいろな若い芸術家がいる。劇作家あり、音楽家あり、小説家あり、詩人あり、画家ありで、多士さいさいである。

今西は、和賀英良についての問合わせに二つの回答をもっている。

一つは、大阪市新川町の浪速区役所戸籍課から送ってきた戸籍抄本だった。

大阪市浪速区恵比須町二ノ一二〇
父　英蔵
明治四十一年六月十七日生
昭和二十年三月十四日死亡
母　キミ子
明治四十五年二月七日生
昭和二十年三月十四日死亡
本人
昭和八年十月二日生
母キミ子は、原籍仙台市東三番丁四七山本次郎長女にして、昭和四年五月二十日、英蔵と婚姻届出。

もう一つは、京都府立××高等学校からの回答で、それによると和賀英良は昭和二十三年に中途退学した、と回答してきた。

今西は、次の三つの名前を頭に浮かべていた。

（A）昭和九年十月二十八日生。（B）昭和八年十月二日生。（C）昭和六年九月二十三日生。

原籍地もそれぞれ違う。一人は東京、一人は大阪、一人は石川県である。

今西は、鉛筆の頭でこの三つの名前の上を叩きながら長らく考えこんでいた。

彼は七曜表をのぞきこんだ。すると、次の日曜につづいて月曜が祝日になっている。

「おれ、今度の土曜日の晩から、北陸の方へ行ってくるよ」

これが今西が帰宅して妻の芳子に言った言葉だった。

「またですか？」

妻は、たったこの間伊勢から帰ったばかりなのに、というような顔をした。

「遊びじゃないんだ」

今西は、腹を立てたような声を出した。

「おれも、そうそうは休暇がとれないのでな。今度の二日の休みが絶好の機会だ」

「出張にはならないんですか？」

「ちょっと、言いにくいんだ。モノになるかどうかわからないからね。石川県まで行ってくるんだが、旅費はあるかい？」

「それくらいの用意はありますわ」

「ありがたい。ぜひ、出してくれ」

「石川県のどこですか？」

「山中（やまなか）という温泉の近所だ」

「まあ、いい所へいらっしゃること。帰りにはおみやげを買ってきてくださいよ」

今西は、まだ一度も妻をつれて温泉に行ったことがない。女房の言い方は、ちょっと今西の胸をえぐった。

「ああ、いいよ。しかし、せっかく貯（た）めたのに悪いな」

「いいえ、仕方がありませんわ、仕事ですもの」

今西は、今度こそ何かを摑（つか）んで帰りたかった。思えばこの間の出張をいれていろいろ旅をしたが、カラまわりばかりだった。

彼は、あくる日、電話で吉村を呼んだ。

「ぼくは、明日の土曜の晩から、石川県のヤマナカに行くよ」

「山中ですって？」

吉村が耳元で大きな声を出した。

「山中、山代（やましろ）、粟津（あわづ）の湯でも……の、あの山中ですか？　今度は、どういう用事ですか？」

吉村は電話できいた。

「やっぱり、例の一件さ」

今西は、ちょっと照れくさそうに答えた。

「へえ、ずいぶん、ほうぼうにひっかかりがあるんですね？」

「まあね」

「今西さん、ぼくでできることがあったら、手伝わせてください」

吉村は熱心な声になった。

もともと、こんどの事件は吉村の管内に起こったことだ。現に、捜査本部が解散されたあとでも、その所轄署（しょかつしょ）では任意捜査ということになっている。

任意捜査だから、専任の捜査員を置くことはなかったが、吉村は、最初からこの事件に最も熱心な刑事だった。

「そうだね」

今西は考えたが、

「明日の晩、ぼくは東京駅を出発する。時間は夜の九時四十分だ」

「二十一時四十分ですね。わかりました。お見送りがてら行きますよ」

土曜日の晩、今西はスーツケースを持って、東京駅のホームに立っていた。見送りの人の群れの間から、吉村が近づいてきた。

「やあ、来てくれたね」

今西は笑った。

「ご苦労さまです」

吉村は頭を下げて、

「今度は、出張じゃないのですか？」

「出張とは、自分としては言えないからね。幸い、連休だろう。これから、それを利用して遊んでくるといった格好になった。まあ、女房のやつがヘソクリを出したんで助かったよ。少々、機嫌が悪いがね」

「いや、今西さんの奥さんは、よくできていますよ」

「おい、おい。そんなことはどっちでもいい。君に頼みたいことがある」

と、今西は左右を見まわした。

「ちょっと耳をかしてくれ」

今西は、吉村を傍にひきつけてささやいた。

吉村は目を大きく開いていた。

「わかりました」

話がすむと、吉村は今西の顔を見て、大きくうなずいた。

「お帰りまでに、必ず、それを仕上げておきますよ」

「頼むよ」

あと発車に五分というときに、妻の芳子が人の間から近づいてきた。

「あなた、汽車の中でこれを召しあがってください」

彼女は風呂敷に包んだものを差し出した。

「何だい？」

「あけて見るまでのたのしみですわ」

「悪いな。いろいろ、金をつかわせて」

今西は、思わず他人行儀な礼を言った。

列車がホームを離れて小さくなったとき、吉村は横に並んでいる芳子に言った。

「奥さんも大変ですな。いや、今西さんのような人も、めったにいませんがね」

「仕事が好きで仕方がないんでしょう」

芳子は答えた。

4

関ヶ原あたりで夜が明けた。

米原から北陸線に乗り換えた。余呉湖に朝陽が射していた。賤ヶ嶽の山岳地帯では、もう雪が積もっていた。

大聖寺におりたのは午まえだった。

今西栄太郎は、電車に乗った。小さな電車は、南の山ふところに向かって走っていく。山代を通り過ぎた。平野が縮まり、山に突き当たって停まったところが、終点の山中温泉であった。

電車から降りた人びとは、半分が湯治客だった。ここまで来ると、関西弁がいやに耳ざわりになる。

今西は手帳を出して、自分の行先を駅前できいた。駅前からすぐに温泉町がはじまっている。しかし、今西の用事のある土地は、そこから離れた、山の方角だった。

今西は、タクシーを頼んだ。

車は田舎の道を走っていく。道のかたわらには川が流れていた。

遠いところに家のかたまっているのが、山中温泉だった。

「旦那(だんな)は、こちらははじめてですか?」

中年の運転手が背中からきいた。

そうだ、と言うと、

「温泉にいらしたんじゃないんですか?」

ときく。

「ああ、温泉に来たんだがね。ちょっと知った人があって、そこを訪ねていくんだ」

今西は煙草をすいながら答えた。

山の上に、寒そうな雲がひろがっている。

「××村にお客を乗せていくのは、めったにありませんよ」

「ほほう。そんな辺鄙(へんぴ)なところかね」

「何もないところですからね。それに、そこは、村といっても、家数にしたら五十戸ぐらいがせいぜいです。ばらばらに離れていましてね。全部が百姓ですから、めったにタクシーを使うようなこともないんです」

「そんなにさびれた村かね」

「貧乏なんですね。山中、山代あたりは、関西方面のお客が来てドンチャン騒ぎをするのに、八キロと離れていないその土地では、食うや食わずの人が多いんですよ。世の中って妙なもんですね。おっと……」

運転手は口をふさいだ。

「旦那は、××村にご親戚でもあるんですか？」

「いや、親戚はないんだがね。山下さんという家を訪ねるんだ」

「山下さんですか。あの村は、山下という姓が半分ぐらいですよ。山下何とおっしゃるんですか？」

「山下忠太郎さんだ」

「きいてみましょうか」

運転手は、めったに来ないと自分でも言ったように、その村のことはあまり詳しくないようだ。

道は平地から山にかかる。うらさびれた狭い畑が、山の間に点在していた。

車は悪路のために船のように揺らぐ。

峠のようなところを二つばかり越したときだった。

「旦那。あれが××村ですよ。今じゃ山中町の中にはいっていますがね。ごらんのとおり、村ともいえないようなところでさあ」

　運転手のさす方向に、小さな屋根がばらばらに光っていた。

　運転手は、私がきいてあげましょうか、と言ったが、今西はそれをとめた。

　タクシーも家の近くにはとめずに、少し離れたところでおりた。

　自動車がとまったところは、百姓家ばかり五六軒並んでいた。並んでいたといっても、一軒ずつが間に畑を置いて、ばらばらになっている。雪の多い郷土のためか、庇の出が深い。

　表に幼児を負って、二十二三の女が立っていた。今西が近づくと、この女はタクシーがとまるときから、白い目をして見ていた。

「ちょっと伺いますが」

　今西が、軽く頭を下げても、相手は、にこりともしない。

「山下忠太郎さんのお宅は、どこでしょうか？」

　女は化粧を少しもしていなかった。労働のせいか、皮膚が荒れて、ソバカスが出ている。

「山下忠太郎さんのう」

　女は、ぼつぼつ言った。

「そりゃあ、ここん山の向こうです」

　顎をしゃくったところに、山の稜線が流れていた。

「ありがとう」

　今西が礼を述べて行こうとすると、

「ちょっと、もし」

と、女はとめた。

「山下忠太郎というのは、もう、この世におりませんよ」

それは、今西も半分は予想しないことでもなかった。生きていても、かなりな老人なのである。

「ははあ、いつごろ亡くなられましたか？」

今西は足を止めた。

「そうですな。もう、十二三年も前になりますよ」

「そして、現在はどなたがいらっしゃいますか？」

「いまですか？　いまは、そこの娘のお妙さんが養子をもろうとります」

「なるほど。娘さんはお妙さんと言うのでしたね。で、その養子さんのお名前は？」

「庄治さんといいます。さあ、今、あなたが行っても、家におりますかのう。畑に行っておるかもわかりませんがの」

「ありがとうございました」

今西栄太郎は、タクシーに戻った。

あの山の稜線の向かい側だ、と教えると、運転手は気の進まない顔をした。

「旦那、えらい道ですな」

事実、車がやっと通れるか、通れないかの道幅で、それも今まで来た以上にでこぼこだった。

が、今西としては、何とか行ってもらわなければならない。

「悪いな。まあ一つ、やってくれ。チップは出すよ」

「そんなものはいりませんがね」

運転手は、しぶしぶ承知した。

車は、ほとんど畦道でも行っているように、狭い道を走っていく。斜面になっているので、畑も段々に積み上がっていた。

車は難儀をしながら走る。

稜線を回ると、また景色が変わった。ちょうど海にたとえれば、入江になっているように、その部落を抱きかかえるような地形だった。

それにも部落が四五戸、山裾に散るようにして立っている。

今西栄太郎が自動車をおりて、畦のような狭い道を行った。

すると、畑を打っている老婆を見かけた。今西はその前に足をとめた。

「ちょっと、おたずねしますが」

と、ていねいに声を掛けた。

「山下忠太郎さんの家は、どこでしょうか？」

老婆は鍬を持ったまま腰を伸ばした。

「忠太郎は、もうだいぶ前に死にましたが」

老婆はトラホームでも患っているような、ただれた目をしていた。

「その人の養子で、庄治さんという人の代になっているそうですね」

今西は、さっき聞いたばかりの知識でたずねた。

「庄治の家は、あのうちです」

老婆はさらに腰を伸ばして、土まみれの指をあげた。それは五六軒並んでいる農家の一番奥だった。丘陵に沿って家が建っているので、その藁屋根は高いところに見える。

今西は礼を言って、行きかけようとすると、

「あなた、庄治を訪ねていっても、いまはダメですよ」

と、老婆は言葉をかけた。

「はあ、留守ですか？」

「庄治は出稼ぎに行っとります」

「出稼ぎ？　どこですか？」

「何でも大阪の方に行ったという話ですな。この辺は、これから春になるまで、男手はいりませんからな。たいてい他所に働きに行きます」

「そうすると、今はどなたがいらっしゃいますか？」

「庄治の女房がおります。女房といっても養子じゃから家つきの娘じゃ、お妙さんというてな」

「お妙さんですな。どうもありがとう」

今西は道を進んだ。農家はどこも貧しそうだった。家が小さく古びて汚ない。今西が前を通ると、見知らぬ男が歩いているのを、門口でじろじろ見送る老人もいた。

一番上の家までには、道には段々のような石が置いてある。その家の前に来ると、古びた柱には「山下庄治」とうす汚ない標札がかかっていた。

今西は涸れた畑の間を、伝うようにして歩いた。

その家の戸は閉まっていた。横の方にまわったが、そこも、ほとんど雨戸が閉ざされていた。この家全体が、留守のような感じだ。

今西は、また表に戻って戸を叩いた。

が、返事はなかった。しかし、戸に手を掛けると、戸締まりがなくてひとりでにガラガラとあいた。

「ごめんなさい、ごめんなさい」

今西は、暗い奥に向かって呼んだ。すると、奥から小さな人影がさした。それは声を出さないで、今西の方にゆっくりと歩いてきた。

明るい光線で見ると、頭の大きい痩せた男の子だった。十一二歳だろうか。汚れた格好をしている。

「だれかいないかね？」

今西は、その男の子にきいた。

その子は黙って目を上げたが、その片方の目は、真白だった。

残っている目も瞳（ひとみ）が小さかった。今西はそれを見た瞬間、どきりとした。

「だれかいないかね？」

今西が、少し大きな声を出すと、奥の方から物音がした。

子供は黙って今西を見上げている。その無気味な片目が、彼に一種の嫌悪感（けんおかん）を起こさせた。子供だと思ってもすぐにはかわいそうな気が起こらなかった。その子の青白い血色を見ていると、病的な感じが強かった。

奥の暗いところから、人が現われた。

今西は目を移した。五十五六歳ぐらいの女だった。髪が薄く、前の方が禿（は）げている。顔もむくんだように青白くふくれていた。

「山下庄治さんのお宅ですね？」

今西はその女に頭を下げた。

「は、そうですが」

女はどんよりとした目つきで今西を見ている。片目の子供の母親らしかった。今西はこの女が庄治の妻、お妙だと直感した。うなずいた表情が鈍（にぶ）い。

「わたしは、本浦千代吉さんの知合いですが」

今西はそう言いながら、彼女の顔をうかがった。が、眠たげな目つきは、少しも瞳を動かさなかった。

「わたしは、岡山県で千代吉さんと、ちょっと知合いになりまして。それで、こちらが千代吉さんの配偶(つれあい)の実家(さと)だと聞いたので、この近所まで来たついでに、うかがったのですよ」

「そうですか」

お妙は、少し首をうなずかせた。

「まあ、こっちにおすわりください」

それが、お妙という女の、挨拶(あいさつ)らしい言葉の最初だった。

男の子は、まだ白い片目をむいて見ている。

「これ、あっちに行け」

お妙は男の子に手を振った。すると、子供は黙って、のそのそと裏の方へ歩いて去った。

「どうぞ」

裏の方を見送っていた今西に、お妙はすすめた。暗い框(かまち)に、うすい座布団(ざぶとん)が出ている。

「ありがとう」

今西栄太郎はすわった。

「どうぞおかまいなく」

彼は茶の支度をしている彼女に言った。

お妙は、今西に盆にのせた茶碗(ちゃわん)をすすめた。うす汚なかったが、今西は快く一口に飲んだ。

「ご主人の庄治さんは、お留守だそうですね?」

彼は言った。

「はあ、大阪の方へ行っております」

お妙は、今西と向かいあってすわった。

「わたしは、妙な因縁から、あなたの妹婿さんの千代吉さんと知合いになりましたが、いい方でしたな」

「いろいろと、お世話になったことと思います」

お妙は頭を下げた。

お妙は、どうやら、今西を岡山の慈光園の職員か、医員かと思っているらしかった。つまり、千代吉と知りあったというのは、その場所だと考えているようだった。

「千代吉さんからは、山中温泉のことをいろいろ聞きましてね。わたしも、一度、お訪ねしたいと思っていた矢先、ちょうどここに来ましたので、つい、お立ち寄りしたようなしだいです」

「はあ、そうですか」

「時にうかがいますが、妹さんのマサさんは、昭和十年に亡くなったそうですが、男のお子さんはどうなさいましたか？　つまり、千代吉さんと、あなたの妹さんとの間に生まれた子供さんです」

「秀夫ですか？」

お妙は問い返した。

「ああそうそう、秀夫さんといいましたね。千代吉さんからよく聞きましたよ。何だそうですね。秀夫さんは、千代吉さんが慈光園にはいるまえに、生き別れになっているそうですが」

「そうです……千代吉は、あなたに何か言いましたか？」

「いいえ、ただ、秀夫はその後、どうしているだろうかとしじゅう言っていましたが」

「そうですね。なにしろ、妹は秀夫を産んで四年後に死にましたのでね。死ぬまで、とうとう、あの子の成長を見なかったはずですよ」

「それはどういう意味ですか。妹さんは、千代吉さんと別れてこちらに、つまり実家に帰っていたんじゃないのですか？」

「何もかもご存じのようですから、隠さずに申しますと、千代吉があういう病気になってから、すぐに妹は別れました。まあ、妹のやり方も不実なところがありますが、病気が病気だから仕方がないでしょう。ところが、千代吉は子煩悩(こぼんのう)で、秀夫を連れて旅に出ていったのです」

「それは、何年ごろですか？」

「確か、昭和九年ごろではないかと思います」

「千代吉さんが出ていかれたのは、どこか当てがあったのですか？」

「はい、当てというほどではありませんが、ああいう病気によく効く寺まわりをはじめたのです」

「それでは、全国をまわられたわけですね。つまり、お遍路みたいなことですね？」

「そうだと思います」

「そのとき、子供さんを連れて行かれたわけですが、いま、その子供さんの行先はわかりませんか？」

「千代吉は、どこを回ったかわかりません。なにしろ、実の母親の妹にも音信不通でしたから」

お妙は少しうつむいて答えた。

「妹は、千代吉と別れると、大阪の方で料理屋の女中になっていました。が、それも一年ぐらいで、妹も、まもなく病気になって、向こうで亡くなりました」

会ったときは、表情の少ない女だと思ったが、話してみると、お妙は、その外見によらずに、しっかりしていた。

「すると、妹さんも、千代吉さんや秀夫さんのその後の消息は、全然知らずに亡くなられたわけですね？」

「はい、妹からは、ときどき、手紙が来ていましたが、父子ともどこに行ったのやらさっぱりわからない、と書いてありました」

「すると、現在はどうです？ つまり、秀夫さんですよ。あなたにとっても甥御さんに当たるわけですね。たしか今年、三十歳ですね？」

「そうなりますかね」

お妙は、そう聞いて、いまさらのように指を折るようにしていた。

「もう、そんな年になりましたかな」

「全然、音信がないわけですね？」

「ありません。あの子は、死んだか生きているか、それすらわかりません」

「わたしが千代吉さんから聞いたところによると、千代吉さんが、岡山の慈光園に来られたのは、昭和十三年で、そのときは、島根県の田舎で生き別れになったそうです」

「そうですか。わたしどもは少しも知りませんでした」

「秀夫さんのその後は、どうなったかわかりません。千代吉さんの気がかりも、そこにあったわけですが、では秀夫さんのその後のことも、全然、こちらではわからないわけですね？」

「そうなんです。いま、あなたからお話を聞いて、島根県で千代吉が子供と別れたということもはじめて知りました」

「よその役場から、秀夫さんの寄留届けの請求とか、戸籍抄本や謄本の請求が来たという事実はありませんか？」

「それもありません。ここの役場の人は、わたしもよく知っていますが、ときどき、話には出ます。秀夫さんはその後どうなったのか、もし、よその土地で死んでいれば、身もとさえわかれば、その届けが役場に来るはずだがな、と言っていました」

「そうですか」

お妙は溜息をついた。

「なにしろ、妹も不仕合わせでした。亭主の千代吉が、ああいう因業な病気とは知らずにいっしょになったのですが、途中から病気が出て、妹もびっくりしたような始末です。千代吉が子供かわいさのあまりに手放さずに、ほうぼう連れて歩いていたので、もし、あの病気が子供にうつってはいないかと、それも心配していました。妹は、とうとう、苦労の末に死んでしまいましたよ」

「それでは、最後にうかがいます」

彼は言った。

「ときどき、見知らない若い男が、ここにぶらりと来るようなことはありませんでしたか？」

今西としては、それを秀夫のつもりで言っていた。つまり、秀夫が母の故郷を知っていれば、なつかしさのあまり、それとなく様子を見にきたことはないか、ときいたのだった。

「いいえ、そういう人は一度も見かけたことはありません」

今西栄太郎は、山下妙の家を出た。お妙は彼を門口まで見送った。彼女は、今西がタクシーを待たせてあるところまでおりていくのを、暗い入口を背にして立って見つめていた。

今西は、途中、二度も振り返って手を振った。この家もそうだが、村全体が陰気なのである。

タクシーに乗って走り出すと、すぐ道端（みちばた）で男の子が立っているのを見かけた。男の子も、窓からのぞいている今西を見上げた。山下の家で最初に出てきた、あの片目の子だった。

なんとなく暗い気持ちに襲われて、今西はやりきれなかった。同じ年ごろだけに、息子の太郎のことを思い合わせてしまうのだ。

しかし、ここに来た目的だけは果たせた。

今西が知りたいのは、山下秀夫という千代吉の子がどうなったかである。

お妙の話で、次のような事実だけは知り得た。

① 秀夫は、千代吉が旅に連れて出たまま消息が知れない。

② 秀夫の生死は不明である。しかし、死亡したという通知は、本籍地の役場には来ていない。

③ 秀夫と思われる人物がこの辺に立ちまわった形跡はない。

④ 秀夫の現在は、この村落のいかなる人物にもわかっていない。

今西栄太郎は、最後に重大なことをしている。それはお妙に、ある人物の写真を見せたのだ。写真は、新聞から切り抜いてきたものだった。

「さあ」

お妙は、それをしばらく眺めて首をかしげた。

「なにしろ、別れたときが、あの子の四つぐらいのときでしたから、この人に似ているかどうか、何とも言えません」

と言うのだ。

「しかし、あなたの妹さんか、千代吉さんに似たところはありませんか？」

「さあ、父親には似ていないようですね。そうおっしゃれば、多少、妹に目のあたりが似てないでもありませんが、はっきりしません」

しかし、この返事は、それでもいいのだ。ここで、この写真の確認を得ようとは、はじめから思っていなかった。

今西栄太郎は、山中の町に着くと、タクシーを降りた。ちょうど腹が減っていたので、目についた飲食店に飛びこんだ。

「ソバをください」

彼がソバの汁をすすっていると、店のラジオが経済市況を報じていた。

「……株式市況を申し上げます。はじめに概況。前場の東京市場は、中材料含み株に買い気が進みまして、しだいに利食いの売物がふえ、全体として高安まちまちでした。つぎに、一般銘柄では、化学薬品、車両機械、金属工業株、出遅れの石炭、紙が物色されたほか、利回りの多い電力株にも買い気が見られ、自動車、電機等一流株には利食いがふえ、安いものが目立っていました……日石一三二円、一円安。昭和石油一二五円、二円安。丸善石油一一六円、三円高。三菱石油一九二円、四円安。東亜燃料二八三円、変わらず。大協石油一二七円、一円高……横浜ゴム一三四円、一円安。旭硝子二七六円、四円高。板硝子四四六円、六円高。日本セメント一四六円、変わらず。第一セメント、商いできず……」

今西は、ソバをすすりながらそれを聞いているうちに目の前に、山形の線が這うグラフを浮かべた。

「……名古屋糖一八八円、変わらず。大阪糖、商いできず。芝浦糖、商いできず。東洋糖、商いできず。甜菜糖二〇五円、変わらず。横浜糖三四〇円、変わらず。雪印一四八円、変わらず。キリンビール五五〇円、変わらず。宝酒造一六三円、変わらず……」

変わらず、変わらず……か。

それは、今西の今の行動を言い当てているような気がした。

いろいろと動きまわったが、いったい、どれだけの前進をしたのか。全体から見ると、ほとんど以前の状態からそう変わっていない。

遠く北の国まで私費を使ってきたのだが、ここでも決定的な打開がなかった。

今西の目に、相場の高低が一本の曲線となって這っている。小さな山、大きな谷を描いて屈折したカーブ……すると、頭には、ふと、俳優の宮田邦郎（くにお）の死んだ現場近くから拾った一枚の紙片（かみきれ）が浮かんできた。

それにも、数字の羅列（られつ）だった。

今西は、ソバを食べ終わると、手帳を出して、それから写したのを読み返した。

「昭和二十八年　二五、四〇四
二十九年　三五、五二二
三十年　三〇、八三四
三十一年　二四、三六二
三十二年　二七、四三五
三十三年　二八、四三一
三十四年　二八、四三八」

ラジオで聞いた株式市況が、この失業保険金給付総額の連想を起こしたのだ。

この数字は、果たして、宮田邦郎の死に関係があるのか。

偶然にその地点に落ちたものか、それとも宮田邦郎の死に何らかの要因をもっているのか。宮田邦郎自身がこんな数字に興味があるとは思えない。すると、だれかがそこに捨てたか、落としたかということになるが、そのだれかは宮田邦郎と関係のある人物だろうか。

今西栄太郎は、手帳を閉じた。

彼は今夜の汽車に乗るつもりでいる。

ここまで来た目的は一応果たせたし、一晩、温泉にはいって、悠々と一夜を過ごす気にはなれなかった。

彼はソバ屋を出た。町を歩くと、温泉のみやげ物屋が並んでいる。

どこの店も同じことで、温泉みやげといっても、タオルや、ようかんや、饅頭などが多い。

彼は、その一軒の中にはいった。

太郎にようかんを買って、ふと見ると、その陳列棚の中に、輪島塗りの帯留めがあった。今西がそれを眺めていると、女店員が寄ってきてきいた。

「いらっしゃいませ。いくつぐらいのおかたでしょうか？」

今西は、てれ臭い顔をした。

「三十七だがね」

それは妻の年だった。

「それなら、これがよろしゅうございましょう」

女店員は、塗りものの帯留めを五つ六つ、そこに並べた。

今西は、その中から一つを選んで包ませた。山中温泉に来た、それがたった一つの妻へのみやげであった。

第十四章 無　声

1

今西栄太郎は、北陸から帰った翌日、本庁に勤めに出た。庁内から吉村に電話した。

「お帰んなさい」

吉村も帰りの早いのに、びっくりしていた。

「ずいぶん、早いんですね？」

「往復とも夜行でね」

「疲れたでしょう？」

「一日休んだから、それほどでもない。吉村君、今夜、話したいから家にきてくれないか」

「大丈夫ですか？　お疲れじゃないんですか？」

「いや、かまわない。そうだ、スキ焼きでも突っつこう」

「それじゃ、うかがいます」

さいわい忙しい事件もなかった。今西は、六時半ごろ家に帰った。

「おい、今夜、吉村君が来るからね」

と、彼は妻に言った。

「すぐに用意してくれないか。スキ焼きを約束しておいた」

「そうですか。吉村さんも久しぶりですね」

「久しぶりだ」

「でも、あなた、疲れてるんじゃないですか？」

「吉村君もおんなじことを言っていたが、なに、一日休んだから大丈夫だ。もう、来るころだろうから、早くしてくれ」

「はいはい」

芳子は行きかけたが、途中で戻って、

「あなた、あの帯留めを隣の奥さんに見せましたよ」

今西が山中温泉から買って帰った輪島塗りのみやげだった。

「賞められましたわ。ずいぶん、きれいですねって。わたしには少し派手じゃないかと思ったけれど、ちょうどいいそうですわ」

わずかなみやげだったが、これほど喜ばれるとは思わなかった。

妻は、せっかく行ったのだから、ひと晩ゆっくり泊まって帰ればいい、とも言った。しかし、今西は、その気にはなれないのだ。私費で行っても、やはり出張と同じ気持ちになる。

一時間ばかりすると、今晩は、と言って、吉村がはいってきた。

「あら、いらっしゃい」

玄関で、芳子と吉村とが挨拶をかわしている声が聞こえた。

「見えましたよ」

妻のあとから、吉村がにこにこして顔を出した。

「いや、お疲れのところすまなかったね」

「今西さんこそお疲れでしょう。往復とも夜汽車じゃ楽じゃない」

「そうだね。まだ背中の方が痛い。若いときは平気だったんだが、やはり年だな」

「いや、若い者だってかないませんよ。今西さんの精力的なことは、ぼくなんかいつも驚いてるんです」

「あんまりおだてないでくれよ」

芳子が牛鍋を運んできた。

「何もありませんけど」

盆にのせた銚子と盃をそこに置いた。

「すみません、ご厄介になって」

芳子が二人の盃に酒を注いだ。

「ま、とにかく、乾盃といこう。お互い、体だけは丈夫だからな」

吉村も目の高さまで盃を上げた。

今西栄太郎は鍋を箸で突っついては、ときどき水をさしたり、砂糖をふりかけたりして、味をみていた。

「どうでした、向こうは？」

吉村は二三杯のむと、本題にはいった。

「とにかく、先方に会ったには会ったがね」

今西は、山中温泉近くの部落での顚末を話して聞かせた。

吉村は話の間に、ほう、とか、なるほど、とか相づちをうって、熱心に聞いていた。

「まあ、ざっとこんなしだいだ。たいしたことはなかったが、まあ、こちらが考えたとおりのことは、聞いてきたつもりだ」

今西は話し終わった。

「しかし、それだけでも相当な裏づけですよ」

吉村は、今西の話をもう一度頭の中で整理しているようだった。

「君、食べてくれよ。肉が煮つまるからね」

「ええ、いただきます」

「この辺の店から買ったのだから、たいした肉ではないが……。ところで、吉村君、君の方はどうだった？」

「今西さんが行かれたあと、さっそく、当たってみましたよ。まだ一ン日ですから、十分なことは聞きませんでしたが。あの近所でちょっとおもしろい聞込みがありました」

「ほう、どんなことだね」

今度は、今西が目を輝かせた。

「あまり近所づきあいがないので、よくわからないんですが、評判はあまり悪くないようです」

「なるほど」

「あの辺は、わりと大きな家が多いんです。ですから、もとから近所づきあいもあまりないそうですが、ことにあの人は芸術家ですから、近所でもつきあいにくいんでしょうね」

「そういう場所だね。で、おもしろい聞込みというのは？」

「実はこうなんです」

吉村が盃をほした。

「あの辺は、土地がら押売りが多いんだそうです。話というのは、その押売りのことですが……」

「うむ」

「その押売りが、あの家にはいったそうですよ。するとものの三十分もねばっていたそうですが、出てきたときは、蒼い顔をしていたそうです」

「押売りが蒼い顔していたのか。はてな？　ひどく怒られたのかな」

「いや、そうじゃないんです。家の中にはいって、玄関で品物をひらき、例の凄文句を並べました。応対したのは本人ですがね。するとそのうち、押売りは何を考えたのか、さっさと自分の方から品物を包んで、黙って家から出て行ったそうですよ。これは手伝いの女中さんの話が、近所に伝わったのです」

「ほう」

「何でも、凄文句を並べていた奴が、黙って引き退ったというので、変な話だということになったのです」

「買ってくれる見込みがないと思ったのかな」

「いや、そうじゃないんです。連中は、たとえ百円のものでも買わせなければ、簡単に引きさがりませんよ」

「じゃあ、どうしたのだ」

吉村の押売りの話はつづいた――。

「なんだかよくわかりませんがね。とにかく、押売りが黙って出てきたことは事実です。だが、それだけではないんですよ。そのあと二三日して、べつな押売りがまたあの家にはいったそうです。ところが、おもしろいことに、その押売りも同じように、凄文句の途中、あわてたように品物をたたんで出てきたそうですよ」

「へえ。どういうわけかい？」

「それがわからないんです。これは少しおもしろい話だと思いましてね、今西さんに会ったら話そうと思ったことです」

今西は黙って鍋の中に水を差した。

芳子が銚子の代わりを運んできた。

「ご馳走（ちそう）になっています」

吉村が頭を下げた。

「いいえ、何もございませんが」

芳子が去ると、押売りの話は、今西は盃から顔を上げた。

「君。その押売りの話は、たしかに、おもしろいね。いつごろのことかね」

「十日ばかり前だそうですよ」

「二人の押売りが続いてそういう出方をしたのだね？」

「そうです」

「君。その押売りを、なんとかしてさがし出せないだろうか？」

「押売りですか」

吉村は、口にくわえた牛肉を箸で切った。

「そりゃあ、調べられないことはないでしょうが」

「何とか、その二人を探したいものだね。ぜひ、会って話を聞きたい」

「何か参考になることがありますか？」

「その話を聞くのだ。詳しくね」

「今西さんがぜひというなら、こちらで手をまわしてもいいです。なに、連中は一人ひとりが歩いてるわけでなく、あれで組織がありますからね。その辺に当たれば、何とか割れそうです」

「頼む。急いでほしい」

「じゃ、明日、さっそくにでもとりかかりましょう。その方面のことをやっている係りを知っていますから」

今西は、酒を休んで煙草をすいはじめた。が、一人で何か考えているふうだった。

「あ、それから、もう一つ頼まれましたね。例のフィルムのことです」

「ああ、あれ?」

「目下、探してる最中だそうです。全国にまわしたものは、ほとんど回収していますが、まだどこかに残ってるかもしれないということでした。あと二三日すれば、はっきり返事ができると言っていました」

「そう。ありがとう」

「しかし、なんですね。ずいぶん、長くかかりましたが、どうやら、この事件も、少しずつ追込みにかかったような感じですね」

「そう思うかい?」

「思います。そりゃまだ何もはっきりしたかたちは出ていませんが、カンとしてはそうですね。何かこう、解決の前の気分といった心持ちがします」

捜査本部を置いて、多くの刑事たちが八方に散る捜査ではなかった。本部が解散されると、ほとんど事件捜査は打ち切られたといっていい。刑事たちも、ほかの事件につぎつぎと追われる。そのなかから暇を見つけては、こつこつと努力する任意捜査は、孤独で、苦労なものだった。

2

それから二日たった。

夕方、今西がいつも行きつけの渋谷のおでん屋で待っていると、吉村が一人の男を連れてはいってきた。

「お待ちどおさま」

吉村の横にいるのは、三十過ぎぐらいの、頰骨の張った、眉のうすい男だった。皮のジャンパーを着ているが髪の刈り方といい、ひと目で無職とわかった。

「この人ですよ。田中君というんです」

「今晩は」

田中と言われた眉のうすい男は、吉村の横から今西にていねいに頭を下げた。

その物腰も普通の者と違って、最初から妙に慇懃でいて、なれなれしいところがある。

「ご苦労さん。まあ、こちらに掛けなさい」

今西は、その男を自分の横にすわらせ、はさむようにして吉村がわきに腰かけた。

「おばさん、銚子」

今西は注文した。

「田中君はですね」

と、吉村が顔を今西の方へのぞかせて説明した。

「浅草のほうの、桜田組の身内です。もう一人の、黒川君というのがいたんですが、いま、よそに行ってるそうです。で、田中君にだけ来てもらいました。実は、こういう段取りになったのは、所轄署の知合いの人から紹介してもらったんです」

一昨日の晩、吉村が今西のところに来て、牛鍋をつつきながら押売りの話をした。そのときの男をさがし出して、早くも今日つれてきたのだった。

「さあ、まず、いきましょう」

三人のコップに酒が満たされたので、今西はコップを上げた。

「へえ、ありがとうございます、いただきます」

桜田組の身内という田中は、コップを捧げて頭を下げた。

「いや、どうも、ご苦労さま。忙しいところ、すまなかったね」

今西はにこにこした。

「どういたしやして。いつも旦那がたにはお世話になってるので、あっしどもでお役に立つことがあれば、何でもいたします」

田中は頭を下げて言った。

「だいたいの筋は、吉村君から聞いただろうが、君、押売りに行って、妙な目に会ったそうだね」

「へえ」

田中は角刈りを手でかいた。

「おどろきましたね。あんなことまで旦那がたのお耳にはいってるんですね」

「おもしろい話だからね。ひとつ、君にゆっくり聞こうと思って……。なんだそうだね、君がその家にはいって品物を並べたとき、変なことがあったんだってね？」

「そうなんですよ。ところで、旦那。そもそもの発端はあっしじゃねえんで。そいつは常の野郎が先ですよ」

「常？」

「それが、もう一人の黒川君ですよ」

吉村が注釈した。

「ああ、そうか。で、常さんが、どうしたって言うんだね？」

「常が帰って、妙なことを言うんですよ」

田中は、コップの酒をなめながら、今西の問いに答えた。

「何でも、その日は田園調布の奥の方を歩いていたんだそうですがね。そして、一軒の家へはいって、品物を出し、タンカを並べていたそうです。すると、主人のような若い男が出てきましてね。タンカを黙って聞いていたんだそうです。そうすると、しばらくして、常は、何だか頭がぼうっとなってきて、気分が悪くなった。それで、少々、気味が悪くなり、早々にしてその家から引きあげてきたというんです。そんな話をしましたので……」

「そこで、君が常さんの代わりに行ったわけだな？」

吉村が傍(そば)から聞いた。

「へえ、そうなんです。常の野郎、意気地のねえことを言やがると思って、そんな家なら、おれがためしに行ってやろうと、あっしが買って出たわけです。友だちがそんなぶざまな目に会ったので、仕返しというわけではありませんが、意地が出たわけです」

「君がその家へ行ったのは？」

「二日後です。そのときはゲソロック（靴下(くつした)）を持って目ざす家へ行きました」

「常さんが行った家に間違いないね？」

「間違いありません。常の野郎から、詳しく場所を聞いていましたから」

「それからどうした？」

「初めは女中のようなおばさんが出ましたがね。あっしが品を並べていると、奥へ行って主人を連れてきたんです。二十七八ぐらいのまだ若い男です。いやに派手なシャツとズボンだけでしたがね。この男が常の尻尾(しっぽ)を巻いて帰った相手かと思うと、あっしはタンカにツヤをつけましたね。いろいろと文句を並べましたよ。たいていのとこなら、このあたりから先方の顔色が変わるのですが、その男は平気であっしのタンカを聞いてるんです。すると……」

田中は頭を振った。

「どうもいけねえ。だんだん、頭がぼうとなってきましてね。おや、と自分でも思ったくらいです。そのうち何かしら、体の中がずーんと気持ちが悪くなってきましてね。ちょうど、エレベーターに乗って降りるとき、ズーンと来る、あれに似た感じですよ。何とも気分の悪いことになりました」

「気分が悪いというと、たとえばどういうことだね？」

「何だか胸がむかむかして吐き気がするんです。自分でも顔色が悪くなるのがわかりましてね。こりゃあいけねえと思って、早々に風呂敷(ふろしき)に品物を包んで出ましたが、いや、もう、あっしも常をわらってはいられませんでしたよ」

「そのとき、家の中で、なにか変わったことはなかったかね？」

「それが、何もないんです。しーんとして、静かなんです」

「物音も何もしなかったのか？」

「なんにもしません。あの界隈(かいわい)のことですから、家中が静まりかえっているんです」

「ふうん、妙な話だね」

今西はコップを置いた。

「まったくですよ、旦那。あっしも初めてでさ」

三日後、一人の巡査が、警視庁に今西栄太郎を訪ねてきた。

「やあ」

今西は、その顔を見て、自分の机の傍に招いた。

「先日は、ご苦労なことをお願いしました」

今西は頭を下げた。

「どういたしまして」

巡査は、東調布警察署の交番詰めだった。三十過ぎの太った男である。

「お頼みを受けた件ですが」

「はあ、はあ」

今西は椅子から膝を乗り出した。

「あの家に行ってみました。押売りのことで被害がなかったかという口実で、主人に会いましたよ」

「それは、どうも、ご苦労さまです」

「よそで押売りが挙がり、こちらさまにも当人が伺ったと供述があって、それで調査にまいりましたと言いましたら、ウチでは品物を買わなかったから何も被害はないと、主人は言うのですよ」

「うむ」

「しかしこの話をするのに、私はなるべく玄関先にねばって時間をかけましたよ」

「どのくらい、いましたか？」

「そうですね、十五分はたっぷりと居たでしょう。まず世間話からはじめて、今の一件をゆっくりとほじくってきいたものですから」

「それで、何か異常はありませんでしたか？」

「気をつけていたんですがね、何も変わったことはありませんでしたよ」

「家の中はどうでした？」

「話し声も物音もしませんでした。そうそう、物音といえば、台所で女中が皿か何かを洗っているような音しか聞こえませんでした」

「あなたは気分が悪くなりませんでしたか？」

「いいえ、いっこうにそんなことはなかったです。お話を聞いて、私も気をつけてたんですがね。全然、気持ちが変な具合になるということはなかったです」

「なるほどね」

今西は机の上を、こつこつと指で叩いた。考えるような眼差しになった。

「それで、私も結局、なにもなかったものですから、十五分ばかりでその家を出ました」

「そうですか」

今西は浮かない顔をしている。

「もう一度、ききますが、家の中に変わった様子はみられなかったわけですね？」

今西は諦めきれないように念を押した。

「そうです。普通の家ですよ。全然、私の気分は快適でした」

交番の巡査は、そのことの報告に今西のところに来たのだった。

「いや、ありがとうございました」

　今西は頭を下げた。

「これだけでいいんですか？」

「結構です……。また何かお願いすることがあるかもしれませんが、そのときは一つよろしく頼みますよ」

「よござんす。交番詰めは事故がないかぎりひまですから、いつでもおっしゃってください」

　今西栄太郎は、交番巡査を本庁の玄関まで見送った。巡査は寒い風の吹いている電車通りに出ていった。今西が部屋に引き返したときだった。

「今西さん、いま、ちょうどあなたに電話がかかってきたところですよ」

　若い刑事が送受器を握って呼んだ。

　今西は送受器をとった。

「今西刑事さんですか？」

　先方は若い男の声だった。今西刑事さんですか、という呼び方は、いかにも素人くさい。

「こちらは、南映映画会社のものですが」

「あ、どうも」

　今西栄太郎は、いつぞや頼んでおいた『世紀の道』の予報編のフィルムのことだとすぐ気づいた。あのときの係りである。

「この間から、いろいろと面倒をかけています」

「どういたしまして。あの『世紀の道』の予報編がたった一つだけありましたよ」

「え、ありましたか？」

今西は勢いこんだ。

「それは、ぜひ拝見させてもらいたいものです」

「東北地方の方の館にうろうろしていたのを、やっと回収したのです。今日、試写室の都合はいいですよ。いつでも映せます」

「それはありがたいですな。では、これからさっそく伺います」

「わかりました。準備をさせておきましょう」

今西は警視庁を飛び出した。

皇居のお濠に白鳥が寒そうに泳いでいる。並木の梢が風に震え、黄ばんだ葉が散っていく。待望のフィルムが発見されたのだ。処分したというのに、一つだけあったのは幸運だった。ほとんど諦めていたところだった。今度こそ手がかりが摑めると思った。

――それにしても、あの田園調布の家は妙な話だ。二人とも変な気分になって、そそくさとそこを出たというのだ。

押売りの男が二人行ったのに、その当人を呼んで話を聞いたのだが、その家の玄関で話をしているうちに、三日前の晩、その押売りの表現によれば、ちょうどエレベーターが降りるときのような、体にずーんといやな感じを受けたという。

しばらくすると、頭が重くなって吐き気さえもよおしたというのである。

しかも、家の中は静まりかえっていた。物音といえば台所で皿が触れ合うくらいだったという。主人は黙って押売りの言うことを聞いていたそうである。

それも、その押売り一人だったら、そのときの生理状態で、そんないやな気分になることはありうるが、二人とも同じ状態になるというのは、当人の健康条件からではない。

おかしい。いったい、どうしたというのだろう。

念のために、所轄署の交番巡査に行ってもらった。巡査はその家の玄関で十五分間もねばったが、気分は爽快で、いささかの変化もなかったという。巡査は今西にこう報告して、たった今、帰ったばかりである。つまり、押売りだけが変な気分になったのに、ほかの者は普通だったのである。

どうも、わからなかった。

いったい、それは、何だろう。

今西がそんなことを考えて都電の吊り皮にぶら下がっていると、いつのまにか三原橋の停留所に着いた。

「いらっしゃい」

南映映画会社の建物の中にはいっていくと、この間から世話してくれている係りが、今西の顔を見て笑った。

「刑事さん、すぐ試写室にいらしてください。準備はオーケーです」

今西はまた試写室に一人ですわった。

場内が暗くなると、彼の心臓は震えた。

いったい、何が写るのか、いや、そのフィルムから、三木謙一は何を発見したのか。

今西は完全に三木謙一の身になって、画面を見つめていた。

『世紀の道』はアメリカ映画で、なかなかの大作だった。背景を古代オリエントに取材したもので、大スペクタクル映画である。長尺もので、間に休憩が十分はいっても、前後編三時間以上を要する。

予報編は、まず製作意図から説きはじめていた。それが終わると、東京の一般公開に先立ってロードショウ風景がニュース映画式に出た。

東京の一流劇場での光景がでる。ある宮さまが入場して関係者一同の並列している前をおじぎして通過する。

今西は目を皿のようにして見つめる。宮さまを迎えている映画関係者の顔が一瞬の間に過ぎたが、三木謙一の興味を惹きそうな人相はなかった。

つぎの画面は、当日来場した各界名士のスナップとなる。

新聞雑誌などでよく知っている顔がホールのあちこちで談笑していた。財界人もいたが、ほとんどは文化人や芸能関係の人だった。

今西は呼吸をつめるようにして凝視した。

画面は次々と変わっていく。今西は瞬き(またた)もできなかった。

名士は小さなグループを作って話したり、笑ったりしている。

それに解説が流れていた。画面に顔が出るたびに、声がその名前をあげている。

今西の知った顔はいなかった。いや、今西の期待する顔が出ないのである。

画面はたちまち切れて、映画の鑑賞風景となる。

暗い座席で熱心に見つめている観客の顔がほのかに浮かぶ。その中にも、今西が待っている顔はなかった。

また、宮さまの顔になる。傍の人が説明申しあげていた。

また、変わって知名人の見物場面になる。だが、顔ぶれに変化はなかった。それも、ほんの三秒か四秒だった。スクリーンは、たちまち色彩がついて、『世紀の道』のシーンが始まった。

今度は、最後まで劇の紹介に終わっている。

今西がぼんやりしていると、場内に灯が点(つ)いた。

「いかがでしたか？」

いつのまにか、係りの人が今西の横に立っていた。

今西は目をこすった。

「すみませんが、もう一度、やってみてくれませんか」

映写は、時間にして四五分だった。ちょっと油断していると、つい見のがしてしまう。今西はもう一度確かめたかった。ちょうど、三木謙一が伊勢で同じ映画を二度も見たようにである。

技師は、はじめからもう一度写した。

今西は今度も目に神経を集めた。握った手に汗がにじんでいた。

しかし、ついに新しい発見はなかった。これこそ、本命だと思っていたのに、最後の希望も完全に消えてしまった。

今西は映画の試写室を出て、外を歩いた。

いったい、三木謙一は伊勢市の映画館で何を見たのだろうか？

『世紀の道』の予報編でもなかったのだ。

今西は自分の目を信じている。あれほど一コマも見のがさないようにスクリーンを穴のあくほど見つめていたのだ。見そこなったとは思えない。今の予報編などは二度も繰り返して写してもらったのだ。

自分にはわからないが、三木謙一にだけわかる何かがあの四つの映画の画面のどこかにあったのであろうか。

今西は三木謙一が東京に出た動機を、あくまでも伊勢市の映画見物に求めている。これ以外に考えようはないのだ。

あの犯人は、自分の姿を一度だけ第三者に見られている。それは蒲田操車場近くの安バーであった。

片すみに被害者と二人で、ひそひそと話をしていた男だ。この男こそ、犯人以外には考えられないのだ。

目撃者は、そのバーの女の子と客だった。数からいって不足ではない。

しかし、いまだにその犯人の欠片すら見えないのである。

ところで、三木謙一は伊勢市から上京して、その蒲田の安バーで犯人と会っているが、その間に、あまり時間的な開きはないのだ。

三木謙一が伊勢市の二見旅館に泊まったのは五月九日である。彼はその晩、映画を見て、十日の昼間もう一度映画館にはいり、その日の夜、出発している。彼は二見旅館で、名古屋発二十二時二十分の列車連絡のある近鉄電車のことを聞いている。

もし、三木謙一がこの汽車を利用したとすれば、十一日の朝、四時五十九分に東京駅に到着する。

彼の死体が蒲田操車場で発見されたのは、十二日の午前三時すぎである。しかし、解剖の結果、彼の死亡推定時刻は、十一日夜十二時から一時の間だ。

すると、十一日の朝、東京に到着した三木謙一は、早くも、その夜、殺害されているわけだ。東京に着いた三木謙一はこの世の空気を十九時間しか吸っていないことになる。

この間の行動が問題なのだが、その足取りは全然つかめていない。しかし、三木謙一が東京に会いにいった男が犯人だと決定して間違いない。

しかも、その殺し方が残忍だった。操車場の電車の下に死体を置いている。扼殺したうえ、さらに石でめった打ちにしたことといい、始発電車の車体の下に仕掛けたことといい、犯人は被害者によほど怨恨のある人物と思われる。

3

三木謙一は、伊勢のあの映画館に二度もはいった。二度もはいるだけの必然性があったのだ。

この場合、三つのことが考えられる。

① 三木謙一は、四つの映画のいずれかに興味を起こした。そして、それが上京の動機となった。しかし、今西など第三者にはそれがわからない。つまり、三木謙一にだけわかる場面があったのだ。

② 今西が肝心の画面を見落とした。

③ 映画関係以外の事実。

このうち②は、そのようなことはないと今西に自信がある。全神経を集めて画面を睨んでいたのだ。どんな小さな動きでも見のがさなかったと信じている。

①の場合は、ちょっと自信がない。しかし、三木謙一にだけわかり、第三者にわからない場合というのは、今西の想定ではあり得ないことだ。

最後に映画以外の事実のことである。

映画館となると、映画を見たことにすぐ結びつくと、今西は考えている。だが、果たして、そう決めてしまっていいか。

今西は、③の場合が最も研究されていいケースだと考えた。三木謙一が二度も映画館にはいったことは、彼は映画以外のものを確かめに、はいったのかもしれないのである。

それ以外のものといえば何だろう。人間であろうか。観客ではない。観客なら一度しか来ない。しかも三木謙一の上京は、映画館が契機だとの確信は揺るがない。

では、何なのか。

映画館に三木謙一の知った人間が勤めていたのか。

さあ、この辺からややこしくなったぞ。

今西栄太郎は本庁に帰った。

問題は伊勢市から離れない。やはり、あすこに鍵(かぎ)があるようだ。そうだ。映画館の経営主に手紙を出してみよう。三木謙一を知っている人間が、映画館の従業員の中にいるか、どうかだ。

それから、三木謙一がそこへ行った日以来、映画館を辞(や)めた従業員がいるか、どうか。ついでに、経営者自体の略歴をざっと知らせてもらおう。三木謙一は、もしかすると、映画館の主人に会いにいったのかもしれないからだ。

これは、いい思いつきだと思った。そうだ、この点はもっと調べてみる必要がある。

それなら経営主に直接手紙を出すより、土地の警察に頼もう。

今西は机の引出しから便箋(びんせん)を取り出すと、伊勢警察署捜査課長あてに依頼状を書きはじめた。

横では同僚が暇とみえて、将棋をさしている。

「王手だ、王手だ。さあ、もう詰むぞ」

同僚の声が弾(はず)んでいた。

「そう簡単に詰むもんか。詰みそうで詰まんのだ」

今西栄太郎は、伊勢警察署からの回答を待った。

手紙は一日で先方に着くであろう。それから調査がはじまるが、それは簡単にすむことだ。しかし、向こうも忙しいから、あるいは二三日放っておくかもしれない。それから手紙が来るとなると、四五日はかかる。

今西は、そんなことまで計算して首を長くしていた。

すると、返事はわりに早くきた。問合わせの手紙を出してから四日目だった。

今西は、何をおいても先にその封を切った。

「ご照会の件でご回答申し上げます。

お尋ねの映画館は、旭館(あさひかん)です。館主は田所市之助(たどころいちのすけ)といい、年齢四十九歳です。

田所氏から従業員にきいてもらいましたが、ご照会のような人物に会った者もなければ、会話をかわした者もないと言っております。

なお、当日は、たしかにご指摘のような劇映画二つと、次週封切り映画と、『世紀の道』予報編を上映しています。それ以外は、短編映画もPR映画も上映しておりません。

田所氏も、当日、三木氏に会った覚えはない、と言っております。

田所氏は、古くから伊勢市に居住している人で、一介の映画従業員から今日をたたき上げた立志伝中の人物であります。現在、一男一女があります。出身は、福島県二本松市近くの××村です。しかし、青年期に郷里を飛び出して以来、当市に住みついております。

右簡単ながらご報告いたします」

これで、いよいよ、三木謙一が映画館に二度はいったのは、いかなる人物にも、会うためでないことがわかった。

すると、やはり、あの四つの映画だろうか。

いやいや、そんなはずはない。何かほかにある。何か別なものを三木謙一は見ている。でなければ、二度もはいることはないし、それがすんですぐに予定を変更して上京することもないのだ。

彼を死の東京に呼び寄せたのは、何であろうか。

今西は、せっかく伊勢警察署からの回答をもらったが、この限りでは何の解決もつかなかった。かえって困惑が深まるばかりである。

今西は考えこんだ。

すると、横では若い刑事が被疑者を尋問していた。

「いま、どこにいる？」

被疑者は三十五六ぐらいの、蒼い顔をした、痩せた男だった。若い刑事の前に顔をうなだれている。

「深川の方の百円宿に泊まっています」

「名前をもう一度いってごらん」

「笹岡春夫です」

「原籍は？」

「福岡県宗像郡津屋崎町××番地です」

「現在もそこに戸籍があるんだね？　こちらに本籍地を引いているようなことはないね？」

「ございません」

戸籍という言葉が耳にはいったので、今西栄太郎は思わず隣を見た。若い被疑者は、申しわけなさそうに肩を落としてうなだれている。

「前科は？」

今西栄太郎は、押売りがはいったあの家のことが、まだ気にかかっている。

彼は、その家に自分で確かめにいくことも考えないではなかった。

押売り二人までがその家の玄関で妙な気分になった。しかし、交番巡査は何のこともなくすんだ――。

しかし、今西が行くにはちょっと困ることがある。彼の顔を先方に知られるからだ。当分、こちらのメン（顔）をまだ割りたくない。それは、吉村も同様だった。あとでどういうことになるかわからないのだ。そのためには先方に早くから人相を覚えられては困る。

「前科は二犯だね。今度も窃盗罪だな」

横で若い刑事が被疑者を調べていた。

「その家には、どこからはいったのだ？」

「裏からはいりました」

「裏口からだな。戸締まりがしてあっただろう？」

「ガラス戸でしたから、そこんところをローソクで焼き切りました。割れたガラスを静かにはずして手を中に差し入れ、内側から錠をはずしました」

「そこからはいって、この台所に出たわけだな」

刑事は、見取り図を見てきいていた。

「はい、そうです」

「それから、どうした？」

伊勢市の映画館の解決がつかない。三木謙一は、そこで上京の動機を何に求めたのだろうか。

今西の頭には、二つのことが交錯している。

「そこで出刃包丁を持ったのは、どういうつもりだったのか？」

「つい、ふらふらとそんな気になったのです。見ると台所の棚(たな)に出刃包丁がのっていたので、もし、騒がれたときは、これでおどかそうと思いました」

「それから、二階に上がったわけだな？」

「そうです」

「下は物色しなかったのか？」

「大切な物は二階にあると見当をつけたのです」

「それから、どうした？」

それから今西にもわからなくなったので、椅子から立ちあがった。ちょうど、退庁時間にもなっていた。彼は机の上を片づけた。

「お先に」

と、隣で被疑者を調べている刑事に言葉を残した。

表に出ると暗くなっていた。

電車の灯も自動車のヘッドライトも、眩(まぶ)しい光になっている。

今西が電車通りに沿って歩くと、向こうからくる五六人の黒い人影に出会った。

「よう」

と、向こうで声をかけた。

警備課の連中だった。今西の知った顔である。

「ご苦労さん」

と、今西は言った。

「毎日、大変だな」

「もう、あと二三日ですよ」

と、先方は笑っていた。

目下、政変があった。内閣が総辞職し、新内閣が成立しつつある。警備課の連中は首相官邸の警戒に詰めているのだった。

今西は、翌朝、寝床で新聞を読んだ。

第一面に、新内閣の顔ぶれが出ている。前から新聞で取沙汰されていたが、昨夜の深更に顔ぶれが確定したのだった。

今西は、大きな活字で並んでいる名前を、拾い読みした。

外務大臣　三井伍郎（山形県選出・当選五回64歳）
大蔵大臣　諸岡秀雄（千葉県選出・当選三回68歳）
通産大臣　保田武（大阪府選出・当選四回54歳）
農林大臣　田所重喜（福島県選出・当選六回61歳）
厚生大臣　堀田光雄（島根県選出・当選五回48歳）
文部大臣　浜田和夫（愛媛県選出・当選四回52歳）

……………………………………


今西は、この大臣名簿の中から、田所重喜の名前を見つめた。

この人は、前にも大臣をつとめたことのある保守党の有力者で、温厚で知られている人物だが、こんども大臣になった。

田所重喜は、別な意味でジャーナリズムにも知られている。その娘が新進彫刻家なので、よく親子二人の写真が雑誌などに並ぶ。

しかし、今西には別な意味で、この新大臣に興味があった。

大臣の名前の下には、選挙区がついている。

田所重喜が福島県だったとは、はじめて知った。この人は福島県だったのか。そう思って、活字面をしげしげと見入っていた。

「あなた」

襖越しに女房の声が聞こえた。

「そろそろ、お起きにならないと、時間ですよ」

今西は、新聞を捨てた。

新内閣ができようが、反対党が天下を取ろうが、今西のような下っぱの公務員には影響はない。

今西は、ごそごそと起きて、顔を洗った。

歯を磨いていると、みそ汁の匂いが漂ってくる。ネギの匂いも混じっていた。

座敷に上がって、食卓の前についた。

女房もいっしょに茶碗を口に持っていきながら、何かと話していたが、今西は返事もしない。むっつりとして聞いている。

いや、聞いているのか、聞いていないのか、黙々と食べているだけだった。

外務大臣三井伍郎か……農林大臣田所重喜か……今西は、リズムのように口の中でつぶやく。

——田所重喜は福島県だったのか。

彼はみそ汁の椀を置いて、手を湯呑に変えた。番茶の匂いが鼻に来る。

——福島県……。待てよ。

今西は、首を傾ける。

——どこかで、この県には縁故があるぞ。

「首を寝違えたんですか？」

首をしきりと傾けているので、女房が真向かいからきいた。今西は、黙っている。

——あっ、そうだ。

今西は、湯呑を置いた。

——伊勢の映画館の劇場主が、たしか福島県出身だったではないか。あれは二本松市近くの××村の生まれだった。

4

新農林大臣田所重喜の邸は、麻布市兵衛町の高台にある。

その夕刻、認証式から帰った田所重喜は、モーニングを着たままの姿で、一族郎党の祝いを受けていた。

きれいな白髪と端正な風貌をしている。彼は、血色のいい顔をしじゅうにこにこさせていた。大臣は二度目だが、何度なってもうれしいものらしい。

来客がひっきりなしに来るので、田所重喜がやっと落ちついたのは、夜の九時近かった。彼は、夫人が食堂で用意した簡単な祝いの席にうつった。内輪の者だけが集まって、祝杯をあげるのだ。

田所佐知子は、母といっしょに手伝っていたが、和賀英良がこの家に顔をみせると、その方に付ききりとなった。

「おめでとうございます」

和賀英良は、未来の岳父の前に頭を下げた。

「ありがとう」

田所重喜は上品な目を細めて、機嫌がいい。

「さあ、さあ。みなさん。席について」

田所重喜の弟夫婦や、夫人の姪や、佐知子の弟たちやで食卓は七八人ぐらいすわった。

田所重喜を正面に置いて、その横に夫人がならぶ。和賀英良と佐知子とは、新大臣夫婦の真向かいの席についた。老人もいれば、子供もいる。食卓には、一流レストランからコックを呼んでつくらせた凝った料理が並んでいた。ここには、他人といえば、秘書だけだった。

「さあ、みなさん。お酒がグラスにはいりましたか？」

夫人はテーブルを見まわした。

「さあ、これから、お父さまのために乾杯しましょう」

だれよりも夫人の顔が上気していた。

「お父さま、おめでとうございます」

「叔父さま、おめでとうございます」

それぞれの続柄によって、主人を呼ぶ名前が違うが、目の高さまであげたグラスは揃っていた。

「ありがとう」

新大臣は、相好をくずして笑った。

「お父さま、がんばってください」

皆がグラスに口をつけたあと、佐知子が向かい側から大きな声で言った。

「大丈夫だよ」

田所重喜の経歴として、農林大臣のポストは必ずしも満足ではないと噂されたが、これは各派閥の振りあい加減からであり、田所重喜には期するところがあると新聞に書かれていた。

とにかく、当人は機嫌がいいのだ。

笑い声の多い小宴会がはじまった。

今夜の和賀英良は、チャコール・グレイに白い縞のはいった背広、光るような白さのワイシャツの胸元には、えんじに黒で模様のはいったネクタイがきちんと締められている。見るからにおしゃれな感じだが、もともと、洋服のよく似合う体で、その整った容貌と相俟って、この席に並んだ贅沢な身なりの男女のなかでも精彩を放っていた。

横にいる佐知子も、今夜は真紅のドレスで、胸にはカトレアの花をつけていた。これも匂い立つような盛装だった。

正面の二人の姿を、田所重喜は目を細めて眺め、夫人にささやいた。

「何だか、今夜は、わしの祝いというより、若い人の結婚式みたいだな」

夫人は笑った。

「あら、お父さま、何かおっしゃって?」

佐知子が頸をのばして両親の私語を咎めた。

たのしい食事が半ば進んだころだった。

女中が佐知子のところに来て、小さな声で来客を告げた。

佐知子は、それを隣の和賀英良に取り次ぐ。和賀はちらりと目を上げて、田所重喜を見た。

「何だね?」

父親が早くも察して、佐知子にきいた。

「いま、和賀さんのグループが、お父さまのお祝いに見えたそうです。関川さん、武辺さん、片沢さんですわ」

「ほう、それは、ごていねいな」

新大臣は、きさくに言った。

「君たちの仲間だ。佐知子も知っているんだな？」

「ええ、いつもお会いしていますわ。いつぞや、和賀さんが自動車事故で入院なすったとき、お見舞いにも来ていただきました」

「ヌーボー・グループというのは、わりと義理がたいんだな」

田所重喜が微笑した。

「応接間にお通ししたら？」

夫人が言った。

「いや、こっちの方がいいだろう。何も改まったお客さんでもなし、ここで、ごいっしょした方が内輪の感じがしていい」

テーブルは広いので、すわる余地はまだあった。夫人が女中に三人分の料理をすぐに運ぶよう言いつけた。

女中に案内されて、関川を先頭に三人の若い者がはいってきた。

三人とも、さすがに、この場面にちょっと戸惑ったように躊躇した。和賀英良が椅子から立って、友だちに笑った。

評論家関川重雄、劇作家武辺豊一郎、画家片沢睦郎の三人は、それでも姿勢を立ち直らせてまっすぐに新大臣の横に歩いた。

「このたびは、おめでとうございます」

田所重喜も椅子を引いて立ちあがった。

「やあ、どうも、ごていねいに」

夫人が、

「わざわざ、恐れ入りました。こんなところですが、ちょうど内輪だけで集まっていますの。さあ、どうぞ、あちらへおすわりください」

三人の席が新しく作られた。子供たちは、闖入した新客たちを珍しそうに眺めている。

関川は、和賀の肩を叩いて席に着いた。新しくグラスが運ばれた。

「おめでとうございます」

先に言ったのは、やはり関川だった。ほかの二人もそれに続いてグラスをあげた。

「ありがとう」

田所重喜は丁重におじぎをした。

和賀が立って、三人の椅子の後ろに行き、

「よく来てくれたな」

と言った。つづいて佐知子もなれなれしい挨拶をした。

「お三人ともお忙しいのに、よく来てくださいましたのね」

「いや、なにしろ、お祝いごとですからな。何をおいても駆けつけましたよ」

関川は代表して答えた。

「あんがい、頼もしいのね」

天井からは、北欧の民芸ふうなシャンデリアが下がっていた。明るい光の中で、佐知子の真紅のドレスが輝いている。三人の視線には軽いおどろきがあった。

「ほう。今夜は、まるで和賀の結婚式の予行演習みたいですな」

関川が冗談のように言った。

内祝いの席は新しい客を三人も加えて、途中からまた雰囲気が盛りあがった。

若い三人は、初めから饒舌だった。よくしゃべり、よく飲む。

田所重喜は、にこにこして若い者の高尚な芸術論に耳を傾けている。

一番、話の活発なのが、評論家だった。筆と同じように弁舌もたつ。ほかの二人は実際家だけに、論理の組立ては評論家関川重雄に追っつかない。

関川は、新しい芸術論を、古い官僚出の田所重喜にもわかるように話した。

要するに、在来の既成芸術はいっさい認めず、真の芸術は自分たちの手で創造するのだという理屈である。

「和賀の音楽だって、現在の段階では、まだ、ぼくらには不満があります」

と、彼は遠慮なしに未来の大臣の聟を見てしゃべった。

「しかし、既成品からみると、和賀のはわれわれの理想に近いですね。彼の仕事は、その点、創造期のものとして期待していいと思います。あとに続く者が現在の不完全を匡正(きょうせい)してくれるでしょう。しかし、それはそれとして、粗野ながら、新しい分野を開拓した和賀の功績は認めてやっていいと思います」

「コロンブスの卵だわね」

佐知子が口をいれた。

「そうなんです。やってみると何でもないが、創造は大変なことです。その点、ぼくは、今まで和賀にいろいろと不満を述べてきましたが、それは彼を認めた上でのことです」

「和賀」

と、横から劇作家が言葉を挟(はさ)んだ。

「評論家という奴には、ご馳走するもんだな」

一座は笑った。

このとき、女中が電報を運んできた。

田所重喜が受け取ってひらき、読みくだしていたが、黙って横の夫人に渡した。模様入りの祝電である。

夫人が電文を皆に紹介した。

「ダイジン　シュウニンヲ　オイワイイタシマス　タド　コロイチノスケ……あら、伊勢市の田所さんからですのね」

夫人が夫の顔を見た。

「うむ」

田所重喜はうなずく。

「ご親戚(しんせき)ですか？」

画家の片沢睦郎だった。

「いや、そうではありません。この人は伊勢市で映画館を持っている人だがね。同郷の人間です」

「ははあ、しかし、田所という姓はおんなじですね」

「そうなんだ。ぼくの村は田所姓が多くてね。よその者が行っても、田所だらけだから、迷ってしまう。遠い祖先は、みんな一つだろうが、分家から分家と分かれていって、今では一村の半分が田所姓ですよ。この伊勢市の人も、そこから、若いとき飛び出した男だがね。いつもぼくの後援をしてくれています」

「お父さまを、とても崇拝していらっしゃる方だわ」

佐知子が横から注釈を入れた。

内祝いの宴は、それから一時間ぐらいで終わった。

一同は、ぞろぞろと広間に引き上げた。もっとも老人や子供は途中からはずれたので、大人ばかりが六七人、クッションにもたれた。コーヒーや果物が運ばれた。

和賀と佐知子とは、自然に、仲間の三人と話をしている。

このときの話も、食堂で出た芸術論の延長だった。彼らによると、現在の大家や中堅は罵(ば)

倒の対象以外ではなかった。

田所重喜と夫人とは、横で傍聴の格好になった。若い人たちだけに元気がいいし、声も高いのである。ふるい大人たちが圧倒されていた。

そのうち、この邸には祝い客が続々とやってくる。田所重喜も、若い芸術論ばかり聞いていられなくなった。

来客は、党関係者ばかりではない。新聞雑誌記者もやってきた。写真を撮らせてくれという組もひっきりなしにある。

「ちょうどいいから、ここで若い者といっしょに撮ってもらおうか」

新大臣は気軽に皆と並んだ。田所重喜夫妻を中心にして、和賀や佐知子が並び、関川、片沢、武辺なども、この家の縁者たちの中にはいった。

とにかく、めでたい夜であった。田所重喜は来客に会うため、夫人を連れて退いた。

「さあ、ぼくらも、そろそろ失敬しようか」

やはり、関川が仲間の主導権を持っていた。

「まあ、いいじゃないか」

和賀英良の様子は、もう、この家の者になりきっている。

「いや、遅いから失敬するよ」

「あら、つまんないわ。もう少し話してよ」

佐知子が引きとめた。

「いや、われわれは早く帰った方がいいようだ」

片沢睦郎が、佐知子と和賀との顔を見くらべた。

「あんなことを言って。平気だわ」

「お父さま、お母さまに、よろしくおっしゃってください」

関川が皆を代表した。

「どうもご馳走になりました」

玄関まで和賀と佐知子とが見送った。

今夜は、遅くまで玄関にあかるい灯が洩れていたし、門の扉もいっぱいに開かれていた。

前の道には、祝い客の自動車が並んでとまっている。

三人は、かたまって歩いた。

「さすがに、さかんなものだな」

武辺が言った。

「うむ。ところで、和賀の奴、すっかりもう、聟気取りでいやがる」

片沢が舌打ちして言った。

夜の道には霧が立っていた。遠くの家が淡く滲んでいる。

「霧が濃いな。近ごろはよく霧がかかる」

関川重雄が関係のないことを呟いた。

関川、武辺、片沢の三人は、いっしょのタクシーに乗って銀座に向かった。

「おれの知っているバーがある。これから飲み直そう」

劇作家の武辺豊一郎が誘った。画家の片沢睦郎はそれに賛成した。

「関川、君もどうだ」

「いや、おれはよすよ」

「どうしてだい？」

「用事を思い出したんだ。そうだ、運転手さん、有楽町のところでとめてくれ」

車は高速道路のガードをくぐったところで停まった。

「失敬」

関川重雄は、道に降りて友だちに手を振った。

「じゃあ、また」

車は走り出した。

「関川の奴、妙だな」

画家が劇作家に言った。

「どうして、あんなところに、一人で降りたんだろう。こんなおそい時間なのに、用事を思い出したもないもんだ」

十時を過ぎていた。

「あいつとしては、ちょっと、心平らかならざるものがあるんじゃないか」

「どうしてだい？」

「和賀の今夜の様子を見て、ちょっとショックじゃなかったかな」

「うむ」

画家に、その言葉がわからなくもなかった。実は、劇作家も画家も、田所邸における和賀英良の姿が、何となく不快に圧迫してくる。

「しかし、あいつ、近ごろ、和賀とひどくいいぜ。今夜も上機嫌で、一人でしゃべっていたじゃないか」

「そこは、それ、人間さ」

画家は言った。

「ああいう場合は、かえって賑(にぎ)やかに振るまうものだ。そのあとで寂しくなるのが、人間の気持ちだろうな」

「よし、おれたちは飲もうよ」

劇作家が叫んだ。

「大いに酔っぱらおうよ」

――関川重雄は車を降りてから一人で歩いていた。

しかし、急いでいる足ではなかった。用事があると言って、友だちと別れたのだが、さし当たって行くところのないといった格好だった。

映画館がハネたのか、片側に往来の人が歩いている。

有楽町方面から銀座を見ると、ネオンの海だった。光が夜空にはじけている。

関川重雄は、賑やかな方には足を向けずに横にはいった。目を舗道の上に落とし、思案しているようなようすでもあった。

ぶらぶらと散歩しているようにみえた。しかし、目を舗道の上に落とし、思案しているよ

明るい店の前に出た。

関川はパチンコ屋にはいった。

「二百円ほどくれ」

玉を掌に抱えて台の前に立った。

親指で次々と弾いていく。別に狙っている気もない目つきだった。音を立てて玉が流れ出ても、そのまま取られても、いっこうにかまわないふうだった。ただ弾いているだけの作業だった。

その横顔に、この男らしくない寂しい表情があった。

第十五章　航　跡

1

三重県伊勢警察署捜査課長より、警視庁捜査一課今西栄太郎への手紙。

「ご依頼の件、左のとおり報告申しあげます。

さっそく、当市映画館『旭館』経営主田所市之助氏につき聞きあわせました。

田所氏の話によると、三木謙一という人には、心当たりもないし、また、当時会ったこともないと言っております。これは、前回、ご回答申しあげたとおりであります。

田所氏は、ご承知のように、今度新内閣の農林大臣になられた田所重喜氏と、同じ村の出身であります。同氏は田所重喜氏をひどく尊敬しております。

同氏は上京のたびに、田所重喜氏のところに立ち寄り、当県の名物も欠かさず届けて挨拶していたということであります。また、田所重喜氏夫妻には、ことのほか恩顧を受けていることも語っておりました。

そんなわけで、氏の自宅には田所重喜氏より来た手紙や、同氏の揮毫の書、写真などが、多数保存されてあります。そのうえ、田所重喜氏を崇拝する同氏は、自己の経営する旭館にも、田所重喜氏との記念写真を飾っていたこともあったそうです。試みに五月九日のことをききますと、同映画館の客席にはいる途中、廊下の壁に田所重喜氏の家族といっしょに撮した記念写真が大きく引き伸ばして掲げてあったということであります。なお、この写真は、五月いっぱいまでで撤去し、現在は同氏宅に保存されてあります。

小生は田所氏に請うて、その原写真を借用いたしました。別送いたしますから、ご用ずみしだい、お返し願いとうございます。これには、小生名義で借用証がいれてありますから、くれぐれも紛失なきようお願いいたします。

右、ご回答まで」

手紙はそれだけだった。写真を後送すると書いてあるので、実物を見るのはあと一日か二日遅れるであろう。

今西栄太郎は、初めて三木謙一が二度もその映画館にはいった理由がわかった。三木謙一は、映画館の壁間にかかげてあった田所重喜氏一家の写真を見たにちがいない。その写真には、映画館主の田所市之助もうつっていた。つまり、この館主は、崇拝する田所重喜氏一家との記念写真を、自慢げに、入場の観客に見せていたのであろう。

その記念写真が映画館に飾られていた期間は、手紙によれば五月いっぱいだった。したがって、三木謙一が映画館にはいった五月九日も、当然、そこに掲げられていたことになる。今西が旭館を調べにいったのは、秋になってからである。記念写真は、彼の目には触れなかったわけだ。

今まで映画館といえば、当時、上映されたフィルムしか考えていなかったのだが、それ以外の材料に三木謙一を上京させた動機が、こんな形で存在していたのである。

今西栄太郎は、伊勢署から送られてくる写真を待ちわびた。

今西は、本庁に出勤するのに、久しぶりに心がはずんだ。家もいそいそとして出た。こんなにたのしい気持ちも何年かぶりだった。

本庁へ九時に着いた。まだ若い刑事が二人しか来ていなかった。

「おい、郵便はまだかい？」

彼は一番にきいた。

「はあ、まだです」

「いつも何時ごろかね」

「そうですな、もうそろそろです」

「ぼくあてに伊勢警察署から、写真を送ってくることになっている」

「気をつけておきます」

今西は落ちつかなかった。今朝ぐらい事件が起らなければいいがと思ったことはない。事件が突発すると、そのますぐに外に飛び出すのだ。郵便物が来ても、いつお目にかかれるかわからない。

十時近くなって、係長がやってきた。

「今西君」

係長は、自分の机から呼んだ。今西はひやりとした。外に出る用事でなければいいがと思った。

しかし、係長の話は、事件のことではなかった。事務上の打合わせを二三しただけですんだ。

席に戻ると郵便物が配られている。今西の机にはのっていなかった。

「おい、ぼくに来なかったか？」

彼は郵便物を分配する若い刑事にきいた。

「いいえ、ありませんでした」

「おかしいな」

「今朝、あんなにおっしゃったので、気をつけてみたんですが、今の便(びん)には見当たりませんでしたよ」

「あとの便は、いつ来るのかね？」

「午後の三時ごろでしょう」

「うむ、ひょっとすると、それにあるかもしれない」

今西は、不満そうに、新米刑事の持ってきた茶を飲んだ。

午後の郵便到着が待ちきれなかった。どう時間の消しようもない。これで、それが明日にでもまわるとなると、今日の苛立(いらだ)ちをどう紛らわそうかと、苦労に感じたくらいである。

午後にかけての長い時間が過ぎた。

今西は三時前ごろから、自分の机にがんばった。急ぐこともない書類を書いたりして、しじゅう時計を見た。

郵便物は若い刑事が、受付からこの部屋のぶんだけを運んでくる。

三時十五分、戸口に現われたその刑事と、今西の目とが合った。刑事は郵便物を小脇(こわき)に抱えている。

「今西さん、来ていますよ」

刑事は片手に茶色の封筒を振っていた。

「よしきた」

今西は椅子からはねあがった。

封筒には厚い紙がはいっている。傷めないようにその間に写真がはさんであった。

その写真は、キャビネぐらいの大きさだった。

彼は、写真に目をさらした。あたりの声も聞こえなくなった。

画面には、六七人の人間が並んでいる。きれいな邸の庭先のようだった。

今西は、その記念写真に写っている人物の一人に焦点を集中させた。

彼はわき目もふらずに強い凝視をつづけていた。長い間だった。

キャビネだから、それぞれの人物の顔は小さい。

「君、虫メガネを貸してくれ」

彼は若い刑事に言った。刑事は直径七センチぐらいの拡大鏡を持ってきた。

今西は、それを写真の顔の上に当てた。その一部分だけが今西の目に大きく迫ってきた。

彼は身じろぎもしなかった。一種の感慨がそのあとから這いあがってきた。

——三木謙一が見たのは、この写真だったのだ。

送ってきたのはキャビネだが、おそらく、伊勢の旭館の壁間に掛かっていたときは、これが引き伸ばされて、四つ切りか、半截ぐらいにはなっていたことであろう。今西は、白い壁に額となって掛かっているこの写真を想像した。

　想像はもっと進む。

　――三木謙一は宿に泊まっていて、暇つぶしにこの映画館にはいってきた。彼は観客席に行くつもりでこの額の前を通った。目がこの額に向いた。

　三木謙一は何気なく写真を見た。館主が自慢で掛けているのだから、むろん、見物人にわかるよう説明が添付されていたにちがいない。

　中央、田所重喜先生。その右横、同夫人。左隣、同令嬢。つづいて、令息……というように。

　このとき、三木謙一は、おそらく、ちょっと首をひねった程度で、この額の前を過ぎ、映画を見終わって外に出たと思う。

　彼は、宿に帰って、ふと、また、この額のことを思い出した。いや、額の中に収められた写真の顔を思い出したのだ。

　彼は首をひねった。何を彼は考えたか。

　三木謙一は、もう一度、自分の目を確かめたかった。翌日、彼は映画を見るためではなく、実はその壁間に掛かっている写真を見るために、わざわざ料金を払ってふたたび入場した。

　彼は、今度こそはとっくりと写真に見入ったに違いない。六七人写っているが、三木謙一の視点は、一人の顔にだけ凝集していた。

　彼は写真に付いている説明書きをメモした。それはある人物の名前だった。

住所まで説明書きにはない。しかし、なくても、東京に訪ねていけばすぐわかるような人だった。

三木謙一は、すぐ帰郷する予定を変更した。上京を急に思い立った。

そもそも、三木謙一は、この世の思い出に、京都から奈良、伊勢とまわってきた人間だ。彼にとっても、もう一度、この世の名残りに会っておきたい人物があった。それが写真の主だったのだ。

三木謙一は、朝早く東京に着いた。五月十一日のことである。彼は写真の人物の住所を何かの本で調べた。あるいは電話帳を繰って知ったのかもしれない。そうだ、彼は電話をかけたのだろう……。

今西栄太郎は、吉村を電話で呼んだ。だいたいのことは彼に話してある。だから、写真が来たと言うと、吉村の声も張り切っていた。

「すぐ、うかがいます。どちらで会いましょう？」

「いや、ぼくの方から、そっちに行くよ」

「そうですか」

「蒲田駅の前で会おう。西口だ」

「わかりました」

二人は時間を決めた。

今西が蒲田にこちらから行こうと言ったのは、いつも渋谷ばかりなので、気分を換えるつもりもあったが、なるべく、あの事件の現場近くで話をしたいからだった。

刑事というのはふしぎなもので、現場の近くだと、その事件の雰囲気(ふんいき)が蘇生(そせい)して、気分が緊張する。

六時半というのが吉村と決めた時間だった。

今西は、例の写真を封筒に入れ、ポケットの中にていねいに納めた。

吉村は人混みの中にぼんやり突ったっていた。

「よう」

今西は、横から肩を叩(たた)いた。吉村はちょっと笑い、二人で肩を並べて歩き出した。

「どこで話しましょうか?」

「そうだな」

今西は商店街を見たが、適当なところがない。蒲田の商店街は細長い通りになっている。

今西は、菓子屋と喫茶店が兼用になっている店にはいった。

ここだと、大きな声を出す酔っ払いはいないし、うるさくなくていい。それに、客といえば、あんみつやしるこを食べる婦人が多いので、秘密な話をするにはちょうどよかった。

二人は、一番隅(すみ)の席に陣取った。

「いよいよ、来ましたか」

吉村は、さっそく、今西の顔をのぞきこんだ。

かわいい女の子にジュースを二つ注文しておいて、今西はポケットから封筒を出した。

「これだ」

「拝見します」

吉村は封筒をありがたそうに受け取ると、中身をおもむろに引き出した。彼にしても待望の写真なのだ。

吉村は、写真の画面にじっと目を注いでいる。その目つきは、今西がはじめてそれを見たときにしたものと同じだった。

今西は、吉村の凝視を妨げないように、静かに煙草をすった。

「今西さん」

吉村は顔を上げたが、目がぎらぎら光っていた。

「やっと発見しましたね」

「うん」

今西は応(こた)えた。

「やっとだ」

この顔を確かめるまでに、おれは、ずいぶん回り道をした。この顔こそ、三木謙一を東京に来させたのだ。

今西は、ふっと太い息を吐いた。吉村も、溜息で応えた。

注文のジュースが運ばれてきた。二人とも、渇(かわ)いたときのように飲んだ。

今西も吉村も、その写真のことには、もう触れなかった。いまは、触れる必要がないのだ。

あとは、事件の奥を、どのように追及していくかである。

「吉村君。君、いつか成瀬リエ子の住所を管内で調べてくれたことがあったね」

「はあ」

吉村はうなずいた。

「とうとう、だめでしたが」

「そうだ、だめだったな。ずいぶん、探してくれたようだけど」

「手のつくせる限りのことは、しました」

今西は紙吹雪の女——成瀬リエ子の下宿先を吉村に探させたことがある。

成瀬リエ子は、今西の住んでいる近くのアパートを借りていた。それは、自殺騒ぎが起って、はじめて今西にわかった。

成瀬リエ子という名前も、彼女が紙吹雪を中央線でまいたということも、その自殺騒ぎを契機として、今西がはじめて知ったことである。

今西栄太郎は、この事件が起こった当初から、犯人のアジトが蒲田駅からさほど遠くないところにあったと推定している。

それは、犯人が被害者の血を浴びているという想定からである。当時、タクシーなどの乗物を探したが手がかりはなかった。

今西は、犯人が歩いて近くのアジトに行き、そこで血染めの衣類を脱いだと推測していた。

そのことは、犯人が蒲田近くに居住していなかったという裏づけにもなる。

およそ、犯行を企む場合、自分の近所に被害者を呼び寄せるようなことはない。できるかぎり、自分の顔を知られていない遠い土地で、犯行をするのが普通である。

したがって、蒲田駅を犯人が犯行現場にえらんだとすれば、犯人はそれよりずっと遠方に居住していたと推定できるのだ。

しかし、やっかいなことは、犯人が現場の近くで、衣服を着かえたのではないかという点だ。

こうなると、よほど親しい人間のところでないと、そういう行動はできない。この点から、今西は蒲田付近に住んでいる犯人の女を考えた。

その証拠は、成瀬リエ子が血染めのスポーツシャツを鋏で細かく切り、夜の中央線で汽車からまき、証拠を湮滅したことでもわかる。彼女はあきらかに犯人と密接な連絡があった。

成瀬リエ子が今西の近所のアパートに引越してきたのは、事件後のことである。今西が自分の家に帰るとき、アパートの前に引越し荷物がきていたのを覚えている。当時、近所の噂では、新劇の女優さんが引越してきたと言っていたくらいだ。

が、実は、彼女は前衛劇団の事務員だったのだ。問題の女が、すぐ近くに住んでいたというのは、知らないこととはいえ、今西にとって皮肉であった。

では、移転前、彼女はどこに居住していたか。アパートの管理人にきいたが、それは、よくわからないと言っていた。彼女が引越してくる前の住所が知りたい。

今西は、成瀬リエ子の前住居を蒲田駅から遠くないところに想定した。

この意見から、当時、所轄署の吉村刑事は成瀬リエ子の顔写真を持って、管内をシラミつぶしにあるいたものだ。むろん、彼だけではない。刑事たちは八方に飛んで聞込みにつとめた。

交番巡査にも、受持ち区域を探させた。すべて徒労であった。

それきり、成瀬リエ子の前住所がつかめないままになっている。

「吉村君」

今西は言った。

「ぼくらは間違っていた。成瀬リエ子は失恋して自殺した。これは間違いない。だが、ぼくらはその相手を取り違えていたのだ」

「そうですね」

吉村も同感した。

「こうなると、もう一度、事件当時の成瀬リエ子の居住先を洗おう。彼女の写真は、君の署に保存してあったはずだったね?」

「あります」

「一度はその調査をやったのだ。しかし、どこかが洩れていたのだろう。ぼくは、まだ、必ず、彼女のいたところが、蒲田から歩いても二十分以内と考えている。犯人は操車場で犯行をやってから、そのアジトまで歩いていっている……」

今西は煙草をすって、つづけた。

「長く歩いていては、どうしても人目につく。疲労だけではなく、犯人にはそういう危険もあるのだ」

「そうですね」

吉村は何度もうなずいた。

「わかりました。もう一度洗ってみましょう。一度やったことですが、今度は重点的に、蒲田を中心に徒歩二十分以内の区域に絞ってみましょう」

事件後、かつて徹底的に調べたことだ。そのときに何もなかったものが、今度やってみて、効果があるかどうか。

しかし、事態は新しいものに変わっている。吉村は、署に帰って捜査課長に報告し、再度の調査を進言することを今西に約束した。

「なにしろ、あれから、かなり時日が経っていますからね。あのときでさえ、手がかりがなかったのですから、今となっては、かなり再調査が困難だと思います。しかし、やってみますよ」

「そうしてくれ。前の調査のことは帳消しにして、はじめての仕事だと思って、ぜひ頼む」

2

三日目に吉村から中間報告があった。

「どうも、思うようにいきません」

吉村は暗い顔をしている。

「うちの捜査課長も、今西さんの話を聞いてひどく乗り気になったんです。あの事件は未解決のままになっているので、今まで後味の悪い思いをしていたのですね。また、専任の捜査班をつくりましたよ」

「それはありがたいな」

今西は満足だった。こちらがいくらやきもきしても、現地の警察署が不熱心だと成功はおぼつかない。

「ただ、新聞記者（ブンヤ）が何だろうと思ってざわつき始めたので、ちょっと、やりにくいところもあります」

「新聞社の連中には、絶対に、知られないようにしてくれ」

「もちろん、そう努力しているのですが、連中は目が早いですからね。署内の空気が、ちょっとおかしいとなると、くっついて離れません。ぼくなんかにも、話せ話せと言って、しつこく食い下がるのです」

「困ったものだね」

今西は顔を曇らせた。

「いや、大丈夫です。何とか、ごまかしておりますから。それよりも今西さん、この調子では当分、手がかりがありませんよ」

「ぼくも、そう簡単に出るとは思わない」

「前に一度やった経験があるので、どうも見通しが暗いです。例の写真を持って、ぼくをはじめ三人で手分けして歩いているんですがね。各区域の受持ち交番の巡査にも協力を頼んでいます」

「いま、どのあたりまで調査が進んでいる？」

「蒲田駅を中心にして、半径二キロ以内は、ほとんど完了しました」

「ご苦労だね」

今西は考えていたが、

「これは、ぼくのカンだが、犯人は蒲田駅より東側ということは考えられないね。やはり、北側か、西側が臭いような気がする」

今西はこの事件が起こった直後、犯人のアジトを、蒲田駅から出ている二つの私鉄、つまり、目蒲線と池上線の沿線と推定して、洗ったことがある。そのときは徒労であった。

しかし、今でも、その二つの沿線は諦めていない。まだ未練が残っている。

「蒲田中心というとたいへん広いが、ぼくはこの二つの沿線の方が大事なような気がする。何キロという中心円を広げていくのもけっこうだが、この二つの沿線を重点にしてみたらどうかな？」

「今西さんは、はじめからそういう意見でしたね」

吉村もそれを知っていた。

「とにかく、やってみましょう。今日はあまりいい話でないので、これで失礼しますよ」

「そうか、とにかく、吉報を待っている」

「そのあいだに、今西さんの方も、なにかやられるんですか？」

吉村は、今西がぼんやりと待っている男でないことを知っている。

「まあね」

今西は微笑していた。

今西には、吉村とはべつに、ちょっとした仕事があった。

しかし、彼の最大の希望は、蒲田警察署が成瀬リエ子の前住所を突きとめてくれることだった。

今西にも、それが容易な調査でないことはわかっている。すでに前回にもやったことなのだ。そのときに効果がなかったものが、時日の経った今、すぐに成果があがるとは思われない。

しかし、そのことがこの事件の解決の重大な鍵となっている。あの当時からみると、いろいろなことがわかっている。このデータの集積は、かえって成瀬リエ子の前住所の重要性を増した。

吉村から、その後も中間報告があったが、やはり悲観的だった。

今西は自分の感じで、蒲田駅から出ている二つの私鉄、池上線と目蒲線の沿線に重点を置いている。吉村にもそう言っておいたが、吉村のその報告は今西の指示に忠実だった。しかし、やはり発見はないというのだ。

唯一(ゆいいつ)の手がかりは、成瀬リエ子の写真一枚である。これを持って捜査員たちは走りまわっているのだった。

もし、彼女が一人で生活していたとしたら、朝晩の出勤の途次や、近所の買物や、また、借りている部屋の家主などで、必ず顔を見知っている者がいなければならない。調査の重点は、そこに置かれていたのだが、今のところ、写真の彼女の顔を覚えている者は出てこないというのである。

今西はいらいらした。

仕事の都合がつけば、彼は自分でその写真を持って一軒一軒訪ねまわりたいくらいだった。

ある朝だった。今西が、家で新聞を広げていると、文化欄の隅(すみ)に次のような報道があった。

「作曲家和賀英良氏は、このたび米国ロックフェラー財団の招きにより渡米が決定した。同氏は今月三十日パン・アメリカン機で羽田をたち、当分ニューヨークに滞在する。同氏のアメリカ旅行は約三カ月で、その間、各地で同氏作曲による電子音楽の公開をするという。その後、同氏は、ヨーロッパ各地を回り、各国の電子音楽状況を視察する模様。日本に帰るのは四月末の見込み。同氏はその直後に、かねて婚約中の田所農相令嬢佐知子さんと結婚式をあげる」

今西はこれを二度読んだ。

有能な若い人は、どしどし世界に向かって行動をひろげていく。今西の目には、いつぞや東北の寒駅「羽後亀田(うごかめだ)」で見たヌーボー・グループの顔が浮かんだ。

ふさいだ気持ちで本庁に出ると、もう吉村が来て、待っていた。

「ばかに早いね」

「はあ」

吉村の顔には疲労があった。今西はその表情を見て、ついに調査が成功しなかったことを知った。

「だめだったのか?」

二人は玄関のホールの片隅にたたずんだ。

「いけませんでした」

吉村はうなだれている。

「捜査課長も力を入れてやってくれたのですが……」

「調査をはじめて何日ぐらいになるかね?」

「もう一週間近くなります。調べるところは、ほとんど調べつくしたような気がします」

「そうか……」

今西も腕組みした。

蒲田署は手を尽くしたに違いない。それは今西にもわかる。

だが、これだけ手を尽くしても成瀬リエ子の住所がわからないとなると、いったい、彼女はどこにいたのであろうか。

今西の見当違いだろうか。蒲田近くに住んでいたということ。二つの私鉄の沿線に居住していたという推定――。これが全部間違っているのだろうか。

いや、そんなことはない、犯人は返り血を浴びて現場から逃走しているのだ。むろん、タクシーにも乗れなかったはずだ。夜の十二時すぎの暗い通りを、犯人はそのアジトまで歩いたはずだ。

この場合、一応自家用車ということも考えられるが、それは今西の頭になかった。それを、思いきって捨てた条件で彼は考えている。

かりに、蒲田付近と、二つの私鉄の沿線という推定が間違っていないとすると、今西の気づかない盲点の中に彼女は住んでいたのだろうか。

「吉村君」

今西は若い後輩の肩に手を置いた。

「いろいろ、ご苦労だったな」

「いいえ、少しも成績があがらなくて申しわけありません」

「いやいや、こんなことで気をクサらせてはいけない。がんばるんだよ」

「はあ」

「まだまだ、ぼくらの力の足らないところがある。君、勇気を出してくれ」

「はあ」

「これほど手を尽くしてくれたのだから、ぼくも調査には遺漏がなかったと思う。だから、これはきっと、ぼくらの気づかない、何かこう、ぽっかり穴みたいなものがあるような気がするね」

「………」

「吉村君。ある一面からみると、今度の調査もむだではなかったよ。なぜかというと、犯人のアジトは、普通の家にはなかったという証明になったんだもの。そうだろう？　そうなると、ぼくらの考え方も自然とそこを離れて、別なところに限定されるわけだ。範囲がせばまったのだ。だから、むだではなかったよ」

彼は慰めた。

「今西さん。そう言ってくださると、ぼくもほっとします。おっしゃるように盲点みたいな場所があったのかもしれません」

「うむ、ぼくらは、もっと考えよう」

「考えます」

吉村も元気を取り戻したような目になった。

「それでは、捜査課長さんに、よろしく言ってくれたまえ」

「そう伝えます」

今西は若い同僚を本庁の玄関の外まで見送った。吉村の後ろ姿が明るい電車通りを渡っていく。

今西はもとの部屋に戻った。浮かぬ顔をして茶を飲んだ。

――成瀬リエ子は、どこで犯人と連絡をとっていたのか。

成瀬リエ子は前衛劇団の事務員だった。劇団は青山の方にあった。だから、彼女はどこかの下宿か、アパートから通勤していたのだ。

ところが、彼女の自殺後、今西が劇団の事務所を調べにいったとき、劇団の人も、彼女がどこから通勤してきているか知らなかった。電車やバスの定期券も持っていなかったというのである。

そこに成瀬リエ子の秘密がある。普通だったら、定期券を買って事務所に通勤するはずだ。それがいちいち現金で切符を買ったのか、回数券を使用したのか、とにかく彼女は普通の通勤方法ではなかった。

彼女は劇団の事務員たちからも自分で孤立していた。交際もいっさいしていなかった。性格はたいへん素直でおとなしい人柄(ひとがら)だったが、自分の住所となると、がんこにだれにも教えなかったのである。

成瀬リエ子が今西の住んでいる近くのアパートで自殺したとき、劇団関係の人は、はじめてそこが彼女の住所だと知ったくらいだ。その前の住居もわかっていない。

むろん、彼女は劇団に一応の住所を届けている。しかし、それは彼女が劇団に入所した当時のことで、あとで調べてみると、それは彼女の友だちの家で、その後、一年ばかりしてそこを出ていることがわかった。その友だちにきいても、彼女の転居先を知っていない。前衛劇団に勤めてから四年後に自殺したのだ。

とにかく、自分の住所のことになると、ふしぎなほど秘密に包まれた女だった。

今西は、そのことから、彼女の恋愛関係を想定している。つまり、友だちの家から一年後に転居した時期が、愛人関係の発生に当たっているのであろう。

逆にいえば、彼女がだれにも打ちあけていない家が、犯人のアジトだったのだ。

しかし、蒲田署が調べた範囲でわからないとなると、これは、ほかにも手を広げなければならぬ。だが、そうなると、範囲は膨大となってくる。調査は絶対に困難だといっていい。

しかし今西は希望をまだ捨てなかった。

(成瀬リエ子の恋人の名を知っている人物がいた。死んだ宮田邦郎だ。彼は、その名を、今西に告げる直前に急死した)

彼は吉村の報告を受けた日、自宅には帰らずに都電に乗って青山に向かった。

前衛劇団の事務所は、外苑の入口近くだった。

夕方だったが、事務所の中には灯がついていた。

今西がはいると、事務員が三人、机でポスターや入場券の整理をやっていた。

今西の顔を知った者がいた。

「いらっしゃい」

その事務員は、今西を狭い応接間に入れた。

「いつぞや、たいへんお世話になりました」

今西はダスター代わりに着ているレインコートを脱いで、腰をおろした。

「どうです。その後、成瀬君の前住所のことはわかりましたか？」

事務員は、いいところに客が来たというように仕事を離れ、一服すいつけて逆にきいた。

「それが、まだはっきりしないんですよ」

今西も煙草(たばこ)に火をつけた。

「こちらにも、その後、わかっていないでしょうね？」

「全然ですよ」

彼は答えた。

「私も気をつけているんですがね」

3

今西は、事務員と少し雑談した。そのことで来たのだが、すぐ帰るわけにはいかない。成瀬リエ子の住所が、ここでも絶望だとわかったが、それでも、あとのことがあるから、そっけなくは帰れなかった。

「いったい、成瀬君の前の住所を、どうして警視庁ではまだ追っているんですか？」

事務員はふしぎそうな顔をした。

劇団では、成瀬リエ子と蒲田操車場殺人事件とがつながっているなど、夢にも知っていなかった。

「いや、ちょっと事情があってね」

今西はごまかした。

「成瀬さんは自殺したのだが、やはり、普通の病死と違って、一応変死ということになりますからね。だから、参考のために、本人の事情もよく知っておきたいというわけですよ」

「ああ、そんなもんですかね」

事務員は感心した。

「そんなにあとまで追っかけられたんでは、うっかり自殺もできませんね」

「まあ、そういうわけですな」

話をしているうちに、今西には、遠くで叫ぶ声が聞こえた。

「何ですか、あれは？」

今西は耳を澄ませた。

「ああ、あれですか。いま、ちょうど稽古場で次回公演の稽古をやっているんですよ」

「ああ、なるほど」

「どうです。時間があったら、ちょっと覗いてみませんか？」

今西は新劇を見たことがない。彼の知識といえば、若いころの築地小劇場ぐらいなものだった。

この劇団は名前のとおり、現在、最も進歩的な演劇を上演していることで定評があった。

「そうですか、そいじゃ、ちょっと、覗かせてもらいましょうか、しかし、ぼくなんかが行ってもお邪魔にはならないでしょうか？」

「ちっともかまいませんよ。舞台稽古といっても、みんな衣装をつけてやっていますからね。ほんとの芝居を見るのと変わりません。観覧席がありますから、そこですわってらしたら、だれにも目立ちませんよ」

「それじゃ、お邪魔しましょうか」

「ご案内します」

事務員は先に立った。

事務室のドアをあけて、事務員は今西の前を歩く。廊下があったが、すぐ突き当たりにもう一つのドアがしまっている。事務員はそれをそっとあけた。今西はつづいた。

舞台の声がいちどきに聞こえた。

大勢の人が照明の中に動いているのが、いきなり目に映った。事務員は暗い壁ぎわにならんでいる椅子の前に案内した。

彼のほかにも四五人の人が、暗いなかで煙草をすったり、腕組みしたり、膝を組んだりして舞台を見つめていた。

何という題の芝居かわからないが、舞台は工場の一角らしく、職工に扮装した人たちが大勢集まっていた。

彼らは、同じ職工服を着た一人の男をとり巻いて、議論している。

見ていると、舞台下にいる監督が、ときどきセリフ回しにダメを出していた。

今西は舞台を見つめていた。

本ものの芝居を見ているのと変わりない。なかなか迫力があった。内容は、何でもこの工場がストライキをやるかどうかで、労働者たちが議論している場面だ。

いずれも職工服を着ている。総勢二十人ばかりが舞台で動いていた。

これだけの衣装を揃えるのは、大変だろうなあ、と彼は見物しながら思った。

それから劇の進行を見つめていたが、途中で、今西は急に目を光らせた。

もう芝居を見ているというだけで、彼の思考は別なところを走っていた。

暗い場所から立ちあがって、そっとドアをあけ、廊下に出たのは、そのあとである。

事務室に戻ると、事務員三人がやはりポスターなどの発送準備にかかっている。

「どうでした？」

案内してくれた事務員が、今西を振り返った。

「なかなか、おもしろかったですよ」

今西は、にこにこして答えた。

「それは結構でした。何でしたら、お終いまでゆっくりごらんになったら？」

「ありがとう」

「あれは、今度、劇団で初めて上演する劇で、力を入れてるんです。おかげさまで前評判もたいへんいいようです」

「そうですか。みなさん、なかなか熱演ですな」

今西はその事務員の傍（そば）で小さい声で言った。

「ちょっと、おききしたいことがあるんですが」

事務員は自分の仕事から離れて今西の傍にきた。

「いま拝見すると、ずいぶん、衣装がいるもんですね」

今西は言った。

「そうなんです。なかなか衣装を作るのもバカになりませんよ」

「公演が終わったあとは、その衣装を保存しておくんですか？」

「ほとんど保存しております」

「すると、それを管理する人も当然いるわけですね」

「います」

「すみませんが、その人に、ちょっとお会いできませんか？」

「衣装係にですか？」

事務員は今西の顔を見た。ふしぎそうな表情だった。

「ええ、ちょっとお尋ねしたいことがあるんです」

「では、ちょっと待ってください。いま、いるかどうか見てきます」

事務員はまた事務室から出ていった。

今西はそこでしばらく煙草をすっていた。

　――成瀬リエ子はこの劇団の事務員だったから、劇団の内部にも詳しく通じていたであろう。むろん、劇団員全部とも知合いの仲だったのだ。

　事務員の戻りを待つ間でも、今西の想像は発展していた。その事務員が戻った。

「いましたよ。今、その衣装の人が帰り支度をしているところです」

「それはよかった」

　今西は煙草を捨てた。

「ちょっとだけ、お会いしたいんです。五分か、十分ぐらい……」

「ご案内しましょう」

　事務員は、今西を奥へ連れていった。

「この人が衣装管理の方をやっています」

　事務員が紹介したのは、三十五六の太った女だった。

「お帰り間際(まぎわ)のところをすみませんね」

　今西は頭を下げた。衣装係はすでにコートを着て、帰り支度になっている。

「どういうことでしょうか？」

　背の低い彼女は、今西を見上げた。

「つかぬことをうかがいますが、今、舞台で稽古を拝見していたんですよ。あれだけの衣装を、あなたが全部管理なさっていらっしゃるんですね？」

「はい、そうです」

「たいへんな数だと思いますが、あれで紛失するということもありますか？」

「いいえ、そんなことはめったにありません」

「めったに？」

今西はその言葉にきっかけをつけた。

「すると、ときには紛失するということもあるわけですか？」

「ええ、ほとんどないことですが、それでも一枚や二枚足りないということもあります。でも、そんなことは何年間に一回ぐらいですよ」

「なるほど、それはあなたの管理がゆき届いているからですね。しかし、不可抗力ということもあるでしょう。いくら気をつけていても、おびただしい数でしょうから、員数が不足の場合もあるでしょうね」

「ええ。でも、それはわたしの責任にもなりますわ」

「ははあ、で、この春ごろ、男物の衣装が紛失したという例はありませんか？」

今西が、かなり具体的に言ったので、衣装管理の彼女は、少しおどろいたような表情をした。

「ええ、一度あります」

「ほほう、それはいつごろですか？」

「五月から川村友義先生の〝笛〟というのを上演しました。そのとき、男物のレインコートが一枚どこにいったか、どうしても、わからなかったことがあります」

「レインコート？」

今西は目をむいた。

「それは、いつごろですか？」

「あの公演は五月いっぱいでしたが、たしか、五月の半ばごろに紛失したと思います。どうしても見つからないので、わたしが大急ぎでほかのもので間に合わせたことがあります」

「すみませんが、それが五月の何日か、正確にわかりませんか？」

「待ってください。それだったら、わたしの仕事の日記を見ます」

彼女は大急ぎで自分の部屋に引き返した。

「やはり、失くなるものですね」

今西はその間に事務員と話した。しかし、のんびりとしたその言い方とは違って、彼の胸はどきどき高鳴っていた。

「わかりましたわ」

衣装係女史はすぐ戻ってきて今西に言った。

「いま日記を見たんです。すると、それは五月十二日になくなっています」

「五月の十二日ですね？」

今西は、しめた、と思った。

「そうです。十二日に、ほかのレインコートを探して間に合わせています」

「では、十一日には、そのレインコートは、ありましたか？」

「はい。十一日には異常がありませんでした。員数はちゃんと揃っていました」

「そのときの公演は、何時にすんだのですか？」

「終演は、午後十時だったと思います」

「場所は？」

「渋谷の東横ホールでした」

今西の心はまたおどった。

渋谷と五反田は近い。五反田から蒲田までの池上線が出ている。さらに目黒はもっと近い。目黒から蒲田まで目蒲線が出ている。

「そのレインコートは、どんな色でしたか？」

「少し濃いめのネズミ色でした」

ここまで言って、衣装係女史はふしぎそうな顔をした。

「わたしの方は、別に、盗難届けを出さなかったのですが、それがいけなかったんでしょうか？」

「いや、そういうわけではありません。盗難届けには関係ありませんよ」

今西は微笑した。

「しかし、盗難届けとおっしゃったが、それは盗難でしたか？」

「いいえ、はっきり、それとは断定できません。でも紛失したことは確かですわ」

「それは楽屋に保管してあったのですか？」

「はい、そうです。公演がすんでしまえば衣装倉庫に保管しますが、公演中は楽屋においてあります」

「おかしいですな。楽屋に泥棒がはいってくることはありますか？」

「それは、ないことはありません。でも、くたびれたレインコート一枚を持っていくような泥棒はいないでしょう。お金を盗まれたことはありますけれど」

「それがなくなったと気づいたのは、十二日のことですね。つまり、十一日の晩はレインコートがあって、無事に芝居ができたが、その翌る日の十二日には、芝居の前に紛失の事実がわかったというわけですね」

「はい、そのとおりです。大あわてにあわてて、とにかく間に合わせました。宮田さんは背が高いので、長目のレインコートをさがすのに困りましたわ」

「なに、宮田君が？」

今西は思わず大きな声を出した。

「そのレインコートは宮田君の役でしたか？」

「そうなんです」

今西が大きな声を出したものだから、かえって、女史の方がびっくりした。

「そうですか。宮田君というと、もちろん、宮田邦郎さんのことでしょう？」

「そうですわ」

今西は呼吸まではずんだ。

「宮田君は自分の着るレインコートがないと知って、どんなふうに言ってましたか？」

「困る困る、とこぼしていました。そして、わたしに早く何とかしてくれと頼みました。昨夜は確かにあったのにおかしいなあ、と何度も首をかしげていましたわ」

「ちょっと待って。そのときの宮田君の出番は終演までありましたか？」

「はい。そのレインコートを着る芝居が最後だったんです」

今西は腕組みした。

宮田邦郎の死が急に大きく彼に迫ってきた。

「ちょっと伺いますが、あなたの方に成瀬リエ子さんという女の事務員がいましたね。自殺したひとですが」

「はい、よく知っております」

「こんなことを聞いては悪いかもしれませんが、その宮田君は成瀬さんとは懇意でしたか？」

今西は衣装係の女史にきいた。

「さあ、特別、懇意というほどでもないでしょうが、宮田さんは成瀬さんが好きだったようです」

それは、以前に今西も聞いたことだった。

宮田邦郎が成瀬リエ子に想いをよせて、今西の近所のアパートの下に佇んでいたことも、彼自身が目撃している。

「その晩、宮田君は芝居がすんで、まっすぐに帰りましたか？」

「さあ、それは、わたしにはわかりませんわ」

衣装係女史は目尻に皺を出して微笑んだ。

「でも、あの人は、芝居がすむと、たいてい、一人で帰ってたようです。酒もあまり飲まないし、友だちも少なかったようですから」

「成瀬さんはどうです？」

「それも、わたしにはわかりません。それは事務所の人がよく知っているでしょう」

彼女は横に立っている事務員をふりむいた。

「さあ」

と、事務員は首を傾けた。

「何日にまっすぐ帰ったかなどときかれると記憶はありませんがね。しかし、成瀬君は、しごく真面目な人で、最後まで仕事をしていましたよ。途中で早退するということはめったにありませんでした」

「ここには、タイムレコーダーといったようなものはありませんか？」

「そんなものはありません」

今西が知りたいのは、五月十一日の晩、成瀬リエ子が途中で外出したのではないか、という想像だった。

「成瀬さんの仕事は、途中でちょっと脱けることはできますか？」

「はあ、それは、やれないことはありません。何しろ、あの人の任務は、芝居がすんだあとの総まとめですからね。開演中は、それほど忙しくはないはずです」

事務員は、しかし、と言った。

「成瀬君にはそういう行動はありませんでしたよ。いつも公演の場所から離れない人でした」

「そのときの場所は、東横ホールだとおっしゃいましたね。だから、当然、成瀬さんも東横ホールにいたわけですね？」

「そうです。それは間違いありません」

これで、きくことは終わったようだった。

「いろいろ、面倒なことをおたずねしましたね」

今西は、二人に頭を下げた。

――しかし、思わぬ収穫があった。

舞台用の衣装のレインコートが、一枚紛失している。それは五月の十二日の発見だった。だから、紛失の事実は十一日の公演がすんだ直後ともいえる。十一日は蒲田殺人事件の日だ。公演終了は午後十時だったという。蒲田操車場で被害者の殺された時間は、推定十二時から一時の間だ。

加害者がレインコートを血染めの衣服の上からすっぽりと着ると、だれにも見とがめられずにすむ。タクシーにだって悠々(ゆうゆう)と乗れる。

そのレインコートは、宮田邦郎が舞台で着るものだった。その宮田邦郎は成瀬リエ子に好意を寄せていた。

また、成瀬リエ子はある人物に熱烈な愛情を持っていた――。糸はつながっている。

今西の記憶には一つの文章がある。

「――愛とは孤独なものに運命づけられているのであろうか。三年の間、わたしたちの愛はつづいた。けれども築き上げられたものは何もなかった……。絶望が、夜ごとのわたしの夢を鞭うつ。けれども、わたしは勇気を持たねばならない。彼を信じて生きねばならない……。この愛は、いつもわたしに犠牲を要求する。そのことにわたしは殉教的な歓喜さえ持たねばならない。未来永劫に、と彼は言う。わたしの生きる限り、彼はそれをつづけさせるのであろうか」

自殺した成瀬リエ子の書きのこしたノートの一節である。

この文章に、はっきりと「三年の間」と出ている。

成瀬リエ子が前衛劇団に勤めはじめたのは四年前からである。最初、劇団に届けた住所からよそに移ったのが一年後だった。つまり、三年間、彼女には劇団にも秘密にしていた住所があったのだ。

今西の推定は確実な自信を持ってきた。

ノートは彼女の日ごろの感想ともとれるし、一種の遺書とも取れる。その文中には恋人の名前はない。自らの心を書きつづけ、自らにうったえている文章だ。

成瀬リエ子はきっと慎重な女性だったに違いない。このノートも他人の目に触れる場合をおそれて、恋人の名前を絶対に伏せていたのであろう。

それは彼女自身のためではない。相手の迷惑を考えての配慮だったのだ。

《この愛は、いつもわたしに犠牲を要求する》

彼女はこう書いている。

彼女は実際に犠牲となった。愛人のために劇団の衣装を盗み出し、愛人の待っている場所にそれを持参したのである。また、血染めのシャツを愛人のために小さく刻んでまいたのも彼女である。法に触れる行為をしても彼女に悔いはなかったのだ。

《そのことに、わたしは殉教的な歓喜さえ持たねばならない》

今西は今まで間違えていたのだ——。

彼女の愛人を間違えていたことだけではない。彼女がアジトを持っていたという推定も大きな過誤だった。

蒲田駅を中心に調査しても、その隠れ家がわからないはずだった。そんなものははじめから存在しなかったのだ。

今西は順序を立てて想像してみる。

——ある男が人殺しを決心した。彼は自分の衣類に返り血がつくことに気づいた。そのままではタクシーにも乗れない。

彼は犯行前、公衆電話から東横ホールの前衛劇団に電話をかけた。遅い時間だったが彼女はまだ居残っていた。

彼は、上に着るものを持ってくるように、彼女に命じた。場所も教えた。

彼女は、とっさに舞台衣装のレインコートを盗んだ。それは宮田邦郎の役が着るものだった。

もしかすると、彼女は宮田に内密にそれの持ち出しを頼んだかもしれない。そうだ、きっとそうだろう。でなければ、いくらレインコート一枚でも、自分の劇団のものを盗むことは、彼女の良心がとがめたであろう。

渋谷から現場まで、タクシーで行ってもわずかな時間だ。電車に乗っても、五反田か、あるいは目黒で乗り換えればよい。

彼女は暗い場所に立って待っている恋人と会い、そのレインコートを渡した……。

4

今西栄太郎には、犯人の当夜の行動が、だいたいわかった。

犯人は、蒲田付近にアジトなどは持っていなかったのだ。女はいたが、連絡の場所は住宅ではなかったのだ。

今西は、長い間の謎がはじめて解けたと思った。ずいぶん、手間と時間とを食ったものである。だが、あのまま迷妄のかなたを彷徨するよりも、おそまきながらわかった方がいい。

だが、今西にはわからないことがたくさんあった。というよりも、重要な点がさっぱり摑めていない。

今西は、とりあえず、自分の考えを吉村に伝えておいた。

「まったく、そのとおりですね」

吉村も共感していた。こんどの捜索で一番気をつかっているのは、この若い同僚だった。

「いいところに気がつきましたね。さすが、今西さんですよ」

「まあ、そう言ってくれるな」

今西は照れた。

「これがすぐにちゃんとわかるようになれば、ほめられてもいいかもしれないが、ぐるぐるとまわったあげくだからね」

「いや、それだけでも、苦労のしがいがありましたよ。なるほど、そういう手があったんですね」

加害者の犯行は簡単である。被害者を石でめった打ちにして殺したという単純な犯罪だった。

だが、あとがいけない。

犯人は、自分の血染めの衣類を隠す衣服を、女に持ってこさせたが、それから彼はどうしたか。

その直後の行動のことだけではない。その犯罪が行なわれて以来、三人の人間が死んでいる。今西の考えは、蒲田操車場の殺人事件の影を、この三人の死にも求めようとしているのであった。

――あくる日。三時ごろになって、今西は空腹を感じた。

警視庁の食堂は、一階と五階とにある。一階は、刑事連中のために実用的な食堂となっているが、五階は、いわば喫茶店と言った方がよい。

ここでは、安いコーヒーやジュースなどのほかに、菓子や子供の土産物などを、市中の価格より安く売っている。

今西は、仕事の区切りがついたので、五階へ上がっていった。

だれの腹も同じとみえて、この時間にはかなり客がある。

今西は、コーヒーと安カステラを注文して、席に着いた。

すぐ横の席には、防犯課の連中がいた。今西は、顔だけは知っているが、話をしあうほど心やすくはない。

警視庁の人間でない人が二人ほど混じっていたが、これは防犯協会の人たちらしかった。

五六人の席だから、話も賑(にぎ)やかだった。

今西は、堅いカステラを食べながらコーヒーをふくみ、口の中で柔らかくしていた。

「しかし、なんですな。このごろ、各家庭も、だいぶ、防犯設備は徹底したようですな」

防犯協会の人が言っていた。

「やはり警視庁のPRが、そうとう行き届いたと思いますよ」

今西は、カステラとコーヒーを交互に口にはこんでいる。

刑事をしていると辛いことが多い。寒い冬の徹夜や、夏の夜、ヤブ蚊に食われながら一晩中しゃがんでいる張込み。一つの品物を持って都内中を十数日がかりで足で歩く証拠固め……。そんな忙しい目にあっているときを思うと、のんびりした今の時間は極楽だった。

「都民の一番の悩みは空巣ねらいでしょうね。だが、これも、隣近所に、留守のとき連絡しあうようになってから、かなり違ってきました」

と、横では、防犯課の人が言っていた。

「東京の庶民生活は、あまり隣近所とつきあいしないことが特徴なんですがね。これが、泥棒に狙われやすい原因の一つだったのです。近ごろは、空巣ねらいも、うんと減ってきましたよ」

「玄関の戸の内側などに、ベルを取りつけたりする家も多くなりましたね」

「あれは、心理的に効果があります。ただ、表ばかりせずに、裏の方も、ちゃんとしておく必要がありますね。ところが、肝心の裏の方だけはやっていないという家が多いんですよ」

「まあ、空巣ねらいの方はそれでいいとして、あいかわらず、減らないのは押売りですね」

と、防犯課の刑事が言っていた。

「実際、これは悩みですよ。まあ、百円玉の一つも素直に出せばそれで面倒がなくていいかもしれませんが、みすみす、高い品物と承知して買うのは、バカバカしいですからね。早い話が、主婦は市場に買物に行って、わずか三十円の品物でも、選択に真剣ですからな」

「家人の少ない家だと、すぐ恐怖心が先にたって、つい金を出してしまいます。そこでまた押売りがつけあがって、今度はこれを買え、あれも買え、と押しつけるような場合もあります。隣近所に応援を求めにいっても、その留守の間に家の中にはいりこんで何をするかわからないし、せっかく呼びにいっても、押売りだと聞くと、近所の人も尻込み（しりご）しますからね。あれは、こまったものです」

「いや、ところがですな」

と、防犯協会の一人が笑い声で言った。

「近ごろ、押売り撃退法に妙薬があるんですよ」

「ほほう、何ですか？」

「なに、ちょっとした装置をするんですがね」

今西はその声が耳にはいったので、話している方に目を向けた。

最前から、押売りという言葉が出たときから、彼は耳を澄ましたのだが、いま、押売り撃退の装置と聞いてから、彼の関心はにわかに高くなったのだ。

「それはですな……」

防犯協会の人が説明を始めた。

「まず、その効果から先に話しますと、その装置をつければ、押売りが自然と気持ちが悪くなり、こそこそと退散するというんですよ」

「え、それは本当ですか？」

「本当です」

話し手はうなずいた。

「それはまた妙案ですな。実際、そういう便利な装置があると、各家庭も助かりますね。心臓の強い押売りが、気持ちが悪くなって逃げるというのがおもしろいじゃありませんか。どういう装置か、聞かせてください」

今西は、隣の方で押売り撃退法というのを話しているのに、非常な興味を持った。普通の撃退法ではない。何やら装置をして、押売りを気持ち悪がらせるというのだ。

これは、この間から目をつけている、ある家の出来事と、まったく同じではないか。そのために、わざわざ、吉村にわたりをつけてもらって、当の押売りを呼んで話を聞いたくらいである。

それと全く同じ話が、いま、彼のすぐ横で行なわれていた。

今西は、コーヒーをのみながら、耳に神経を集めた。

「その器械はですな」

と、防犯協会の人が言っていた。

「エレクトロニクス押売り撃退器というんですよ」

「エレクト……ははあ、名前からすると、電気じかけの装置ですか？」

「いや、電化ではないんです。つまり、それは、なんでも、高い音を出して、相手の気持ちを悪くさせる装置だそうですがね」

「高い音といいますと、隣近所にもわんわん響くでしょう？」

「いや、その高い音とは違います。理屈は、ぼくにはよくわかりませんが、音が鳴るというよりも、何か、体にじかに響いて、変な気持ちになるんだそうですよ」

「そういう器械を、どこかで作っているんですか？」

防犯課の一人がきいた。

「いや、今は、ある技師が試作している状態ですがね。ですが、これが一般に普及すると、ちょいとした効果があがると思いますね」

あとの話は、そういうものがあれば、婦人が一人でいても、簡単に押売りを退散させることができるので、どんなにか便利だろう、ということで、雑談に流れてしまった。

今西は、隣の席が立ちあがるのを待った。

五分間経(た)って、一同は椅子から立った。

今西は、すばやく、顔見知りの防犯課の刑事をつかまえてささやいた。

「いま、何とかいう押売り撃退器の話をした人は、どういう方ですか？」

刑事は教えた。

「あれは、防犯協会の安広(やすひろ)さんというんです。商売は、自転車屋さんですがね」

「すまないが、ぼくに紹介してもらえないだろうか。ちょっと、ききたいことがあるんです」

「そう。いいですよ」

防犯課の刑事は、ちょうど、戸口の方にぞろぞろ歩いていく一行の一人をつかまえた。

そのひとは、今西も聞いている押売り撃退器の話をした、背の低い、あから顔の男だった。

防犯課の刑事は、その人に今西を紹介した。

「私はこういう者です」

名刺を出して、

「いつもご協力を願って、ありがとうございます」

と、おじぎをした。

「いや、どうしまして」

安広という人も今西に名刺をくれた。

「実は、さっき、ちらと押売り撃退器のお話をうかがったんですが、それについて、ぜひ、教えていただきたいのです」

今西は頼んだ。

防犯協会の人から今西が聞いた、その技術者は、T無線技術研究所の所員だった。

研究所は、千歳船橋(ちとせふなばし)の方にある。

今西は、訪問に先立って、研究所に電話をかけた。その人は浜中省治(はまなかしょうじ)といって、若い技師だった。

「昼間は研究で忙しいですから、今日の五時ごろか、明日の朝十時ごろにしてください」

浜中技師は電話で答えた。

今西としては一刻も早くそれを知りたい。夕方五時に研究所へ訪問することを申しこんだ。

「そんなものが、どこから耳にはいりましたか」

先方の声がニヤニヤ笑っているのがわかった。

一応、そう言っておけば、向こうも資料を用意して待ってくれているにちがいない。

今西栄太郎は、四時過ぎに警視庁を出た。

ここから千歳船橋まではかなりな距離だったが、この時ぐらい先方に着くのをもどかしく思ったことはない。

普通なら、電車やバスで乗り継ぎして行くところだが、今日はタクシーを奮発した。

しかし、警視庁のある桜田門から赤坂、渋谷という路線は、混雑の最中である。車は思うように走れない。

とうとう、目的の千歳船橋に着くまで一時間近くかかった。

研究所は、雑木林の見える空地(あきち)にあった。申しわけ程度に有刺鉄線が張られてあり、二階建ての小さな白亜の洋館の上には、お椀(わん)のようなパラボラや無線の鉄塔が立っていた。

今西が受付にはいると、浜中氏から通知があったとみえて、守衛みたいな人が応接間に通してくれた。

そこで待ちながら、窓の外を眺めていた。クヌギ林の梢(こずえ)に黄ばんだ葉が見えている。

まもなく、ドアが開いて、三十四五ぐらいの、髪の毛の薄い、額の広い人物が現われた。

目がくりくりとして大きい。

「浜中です」

名刺を交換した。

浜中氏の肩書きは〝郵政技官〟となっている。

「役人ですが、この研究所に出向しているんです」

浜中氏は、自分の身分を説明した。

「実は、電話でもお話ししたとおり、防犯協会の人から、エレクトロニクス押売り撃退器というものの話を聞きましてね。何でも、それは浜中さんが発明されたそうで？」

「いや、ぼくの発明というほどでもありませんよ」

浜中技官は、大きな目を細めて、笑い声を立てた。

「理論は簡単です、ですが、実用的に組み立てたのは、ぼくが最初かもわかりませんね」

「その理論というのはどういうことですか、われわれにわかりやすく教えてください」

今西は浜中氏にきいた。簡単な装置で、凄(すご)文句を並べている押売りがたちまち退散すれば、これ以上の妙計はない。

浜中氏は顔に微笑をつづけている。

「それはですな、つまり、音ですよ」

「音？」

「はい、ちょっと解説的に言いますとね。私どもは毎日いろいろな音の中に生活しているわけですね」

浜中氏はやさしい言葉を探すようにして言った。

「その音も音楽みたいな楽音もあり、そうでない雑音もあります。その中で、特に不愉快な感じを持つ音というのがありますね。たとえば、鋸の立てるキイキイする音とか、ガラスに爪を立てたときの歯の浮くような音などです。こういうのが不快な音でしょう」

「そのとおりですね」

「これは、音色の違いから、こういう不快感を起こさせるのですが、この音色というのは、ちょうど、空気中を音が波の形で伝わっていますから波形といっています。この波形を周期的に送れば特定の周波数となって、人に不快がられることがあります。つまり、押売り撃退というのは、こういう音感作用を利用したのですよ」

「ははあ」

今西は、これから理論がむずかしくなると覚悟して、あとの言葉を待った。

「一例をあげますとね」

と、浜中技官はにこにこして続けた。

「十数サイクルの低い周波数の音を、数分間聞かされたと仮定してみます。この場合の低い音は、われわれが普通、音といっているものではなく、震動といった方が、当たっているかもしれませんね。ですから、これは聞かされているんじゃなくて、感じるといった方がいいかもわかりません」

「…………」

今西は、わかったような、わからないような顔をした。それを察してか、浜中技官も素人相手のもっと解説的な口吻になった。

「ですから、こういう状態で聞いていると、いい加減に嫌になっちゃいますよ。頭が痛くなったり、体がぶるぶるしたり、とっても、変なものです」

「本当にそういう状態になりますか？」

今西は体を乗り出した。

「なります。ところが、いま申しあげたのは、耳に聞こえるか、聞こえないか、という低い方の音の話ですが、高い方も同じことが言えますよ」

「高い方？」

「そうです。一万サイクル以上の高音、つまり二万から三万サイクルのものを出すと、ある種の動物は、敏感に感じますが、人間には、聞こえるというより体が変になったり、頭が痛くなったりしますよ。で、われわれの耳にはいる周波の限界で、高い方を上限といい、低い方を下限と呼んでいます。共に、われわれに不愉快な音として感じられることには変わりないのです」

浜中技官は、装置の説明をする前に、こうして、音という概念を噛んで含めるように、今西に説きはじめた。

第十六章 ある戸籍

1

今西栄太郎あてに、島根県仁多(にた)郡仁多町役場からの手紙が届いた。

「先にご照会になった本浦千代吉さんの件、その後、調査に暇どりましたが、現在までに判明したことを左のとおりご回答申し上げます。

当役場の古い記録を繰りましたところ、本浦千代吉さんが岡山県児島郡××村慈光園に引き取られたのは昭和十三年六月二十二日でありました。何ぶん、古いことで詳細がわかりかねたのですが、ようやくその当時の関係記録簿が発見されたので、正確な月日をここにご報告いたします。

ただし、そのとき千代吉さんが連れていたという長男秀夫のことは、この記録簿に載っていません。おそらく、これは本浦千代吉さんを世話した当時の亀嵩(かめだけ)駐在所勤務、三木謙一巡査が処理したことと思います。

したがって、秀夫についてどういう処理がなされたかは、駐在所備え付けの駐在日誌でも見ないとわかりません。しかし、昭和十三年分はすでに処分されていますので詳細なことは不明です。(駐在日誌は当時の規定で十五年保存となっており、したがって、昭和十三年分は焼却されたものと思われます)

ただ前後の事情からして、三木巡査は患者の本浦千代吉さんのみを岡山県慈光園に入院させ、健康体の秀夫は父親から隔離して保護したように考えられます。

保護された秀夫が、その後どのような身のふり方を決めたか、最も知りたいところですが、右の事情でついに不明なのは残念であります。しかしこれは、当方の推測ですが、三木巡査の人柄からして、たぶん秀夫をしかるべき篤志家のもとに預けるようにはからったと思われます。しかしながら、当地方を調べてみましても、そのような事実が発見されないことから勘案して、おそらく秀夫自身で失踪したのではないかと考えられます。これは親子二人だけで流浪している浮浪児にはよくある性癖であります。

とにかく、ご照会の本浦秀夫のその後については、ここ数カ月にわたって当管内を調査いたしましたが、だれひとりとして、その間の事情を知る者もなく、秀夫を引き取ったという先もありません。ここに右調査を打ち切るにあたり、最終的なご回答を申しあげるしだいです。

仁多町役場　庶務課長

東京警視庁　巡査部長

今西栄太郎殿」

今西栄太郎は、長いこと考えこんだ。

彼の目には、初夏の亀嵩街道が映っている。

ある暑い日、この街道を親子連れの遍路乞食があるいてきた。父親は全身に膿を出していた。

この不幸な親子を見かけた三木駐在巡査は本人に説いて、岡山県の慈光園に入院の手続きを取った。連れていた男の子は七歳であった。

三木巡査はその子を保護していた。だが、父親とともに放浪生活をしていたその子は、巡査の世話になじめなかった。ある日、彼は、突然脱走した。

七つの子は、垢と埃にまみれながら、中国山脈の脊梁を南に越えた。彼は、それから二つの道のどれかをとった。

一つは、広島県の北境の比婆郡に出ることだ。

一つは、備後落合から作州津山に抜けて岡山に出ることだ。

その男の子はどの道を歩いていったのだろうか。

――いや、その子は、中国山脈を越えなくてもいい。彼は父親といっしょに来た方角へ、一人で引き返したかもしれない。それは宍道に出て、安来、米子と歩いていくのだ。さらに、そこから、鳥取の方へいったかもしれない。

浮浪児の取った放浪の道は、こうした三つが想定できる。だが、いずれの道を取ったとしても、彼が大阪に出たであろうことは事実だ。

浮浪児は、大阪で、ある人間に拾われた。まだ故郷の知識のない、子供だった。拾った人間は、この子をどのように育てたか。

まず、考えられるのは、養子にすることである。

ここで、今西は、自分の古びたノートを繰ってみる。

浮浪児の故郷は、石川県の江沼郡××村××番地である。しかし、そこには、「長男秀夫」の出生届はしてあるが、成長の記録はない。しかし、別な戸籍簿は、彼のその後の幻影を載せている。

「大阪市浪速区恵比須町二ノ一二〇

父　英蔵

明治四十一年六月十七日生

昭和二十年三月十四日死亡

母　キミ子

明治四十五年二月七日生

昭和二十年三月十四日死亡

本人

昭和八年十月二日生」

浮浪児が島根県の山奥からどの道を歩いていったとしても、大阪で「再生」していたのがこの記録である。

しかし、この「本人」の生年月日と、浮浪児秀夫の生年月日とが違っている。のみならず、この戸籍簿は「養子縁組み」の事実を記載していない。

しかし、今西は、この戸籍簿に疑惑をもっている。

その疑惑は、前からいだいていたが、今度、仁多町役場からの回答で、そのかたちが、もっとはっきりとしてきた。養子縁組みの記載のない事実と、本人の生年月日が違う事実とが、かえって彼の信念を深めた。

ぐずぐずしていられなかった。手紙を出して調査を依頼するのは、まどろこしかった——。

今西栄太郎は、その晩のうちに、大阪行の列車に乗った。東京発二十一時四十五分の急行だった。

今西はポケット瓶のウィスキーをなめながら、寝苦しい座席で目をつむった。

夜汽車の音が単調なリズムを立てている。

しかし、これは不愉快な音ではなかった。ある意味では、子守唄のように快い音響でさえある。

音。音。——

(音については、われわれの耳にはいる周波の限界で、高い方を上限といい、低い方を下限と呼んでいます。共に、われわれに不愉快な音として感じられることには変わりないのです)

浜中技官の声だった。

2

朝の八時半に、今西栄太郎は大阪駅に着いた。

交番に寄って、浪速区恵比須町はどこか、ときいたら、巡査は壁にかかっている大きな地図を振り返った。

「そこやったら、天王寺(てんのうじ)公園の西側だんな」

巡査は教えてくれた。

「区役所も、その近所にありますか?」

「そこから五百メートルばかり北におます」

今西はタクシーを拾った。

車は朝の大阪の街を南へ走った。

「君。浪速区役所というのは、どこだい?」

天王寺の坂を上りかけたとき、今西はきいた。

「浪速区役所いうたら、あそこに見えまっしゃろ。あれでんねん」

時計を見た。九時十分前だった。区役所はまだあいてない。

「お客さん、区役所に寄りなはるのんか?」

「いや、あとにしよう」

車は公園を右に見て走った。学生が多い。

運転手に番地を教えた。

やがて商店街にはいった。どの店もまだ戸をあけていなかった。

「この辺の店は、きれいだね」

今西は外を見て言った。

「へえ、戦後、すっかり建て直りましたさかいな」

「すると、この辺一帯、空襲で焼かれたのかい？」

「へえ、そら、もうすっかり焼け野原になりましてん」

「いつの空襲？」

「それが終戦間際(まぎわ)の、昭和二十年三月十四日でしたな。B―29が大編隊で来よりましてな、焼夷弾(しょういだん)の雨ですわ。アメリカはんも、もうちょっと待ってくれはったら、この辺も助かりましたやろ」

「相当、人が死んだんだろうな？」

「へえ、そら、何千人という人ですわ」

今西は、いま運転手が話している空襲の日づけを、東京から頭に刻みつけてきている。

「お客はん。着きましたえ」

今西が見ると洋服問屋の前だった。

「ここが、その番地かい？」

「へえ」

今西は料金を払った。

彼は、降りた地点から、あたりを調べるように見まわした。どの家も新しい。戦前の古びた建築は一つもなかった。同番地の洋服問屋は、「丹後屋商店」と看板に出ていた。

今西は、生地を棚にいっぱい巻いて並べている店先に立った。

店員に主人を呼んでくれ、と言ったものだから、しばらく待たされた。

「おいでやす」

六十を過ぎた老人が、着物に紺の前だれを掛けて出てきた。

こちらの身分は通じてある。

「おおきに。何ぞ、御用でおまっしゃろか？」

老主人は前だれを折って膝をついた。

今西栄太郎は、「丹後屋」の主人から話を聞いた。枯れ木のように痩せている六十ばかりのこの老人は、大阪のこの土地に、父祖の代から住みついているのだと言った。だから、この界隈のことなら、昔のことも詳しく知っていた。

今西はここで三十分ばかり話を聞いて、外に出た。

彼は区役所の方へ歩いた。

ゆるやかな勾配を登った。近くに学校があるらしく、子供の騒いでいる声が聞こえていた。

丹後屋で聞いた話は、今西に一つの確信をつけさせている。

道を歩いていると、朝の澄んだ空気の中に、子供の騒ぎ声が一段と高く聞こえる。騒々しい声だ。その声を聞いていると、また、音のことに連想が走った。

うるさい音。

不愉快な音。

今西には、一つの記憶がある。死んだ恵美子が最期(さいご)にうわごとのように口走ったという言葉である。

(とめてちょうだい。ああ、いや、いや。どうかなりそうだわ。もうやめて、やめて……)

今西は歩く。

考えながら、うつむき加減に歩く。

電車が横を通って走った。

線路がカーブになっていて、電車は車輪をきしませてキーと金属音を立てた。いやな音だった。

いやな音、いやな音……。

空に鳩(はと)がむらがっていた。明るい陽(ひ)を受けて、鳩の翼が光っている。

区役所の建物の前に出た。

そばに老人の行政書士がいた。

「戸籍係はどちらですか?」

老人はペンをとめて、面倒くさそうに教えた。

「これを、そのまま行きなはれ、はいって突き当たりの右側が戸籍係だす」

「ありがとう」

今西は石段を上って、暗い建物の中にはいった。

区役所の中に大勢の人が動いていた。

戸籍係の前に出た。窓口には、若い女事務員がいた。

今西は手帳を出した。

「ちょっと、うかがいますが」

「はい」

女事務員は顔を振り向けた。

「浪速区恵比須町二ノ一二〇にこういう戸籍がありますか？」

手帳ごと事務員にみせた。

二十二三の顔の平べったい女は、細い目で、今西のわかりにくい文字を覗(のぞ)きこんでいたが、

「ちょっと、お待ちください」

と立ちあがって、戸籍原簿の保管棚に歩いていった。

彼女はそこで帳簿を繰っている。今西は、固唾(かたず)をのむ思いで待った。

二三分間、待たされたが、やがて、その帳簿を抱えた女事務員が、今西の前に戻ってきた。

「その名前の戸籍はございます」

「え、ありますか？」

「はい。確かに、その戸籍は原簿にのっています」

「それは、正真正銘のものですか？」

今西は、つい、口がすべった。

「もちろんですわ」

女事務員はおこったように言った。

「区役所の原簿にインチキがあるはずがありません」

「それはそうですが……」

今西は、原簿に間違いがなくても、人が作為的に工作したということを考えている。たとえば、他人の戸籍を無断で取る場合はよくあることだ。

「すみませんが、ちょっと、その原簿を見せてくれませんか」

彼は頼んだ。

「ぼくは、こういう者です」

今西は警察手帳を出して、自分が警察官であることを証明した。女事務員は、ちらりとそれを見て、

「どうぞ」

と、窓口から分厚い戸籍原簿をさしだした。

今西は戸籍原簿というと、紙が茶褐色(ちゃかっしょく)に古び、隅(すみ)などはぼろぼろになっているのを予想したが、この原簿はまだ新しかった。

問題の個所を見てみる。

本籍、大阪市浪速区恵比須町二ノ一二〇……。

今西は、自分の手帳に控えたものと照合したが、一字一句違っていない。

「この戸主の英蔵さんも、妻のキミ子さんも、死亡年月日が同じですね。どちらも昭和二十年三月十四日死亡となっています。これは空襲でなくなられたわけですか？」

今西は確かめてみた。

女事務員は、それを覗きこんでいたが、

「そうです。その日、浪速区一帯は大空襲がありましてね、ほとんどの家が焼き払われました。そのお二人も、そのとき戦災死をなさったものと思います」

「やっぱりそうですか」

今西の注意は、戸籍原簿の新しいことにもう一度返った。

「ずいぶん、この戸籍原簿は、紙が新しいですね」

「ええ。前の戸籍原簿は、やはりその戦災で焼けましたので、その後に替えたものです」

「焼けた？」

そうか。原簿は焼けたのか。

戸籍原簿は、区役所と管轄（かんかつ）の法務局とに置いてある。もし、区役所の分が焼けたら、法務局の原簿を写して調整するのである。

「これは、法務局の方のを写し取ったんですか？」

「いいえ、そうじゃありません。法務局もその日の空襲で全焼して、原簿もいっしょに焼けました」

「えっ」

今西は目を光らせた。

「では、これは何に拠って調製したのですか？」

「それは本人の申し立てです」

「本人の？」

「はい。戦災で原簿が焼けた場合、戸籍再製ということが法律で決められてあります。これをごらんください」

女事務員は、その戸籍原簿の第一ページに印刷されてある文章を見せた。

戸籍原簿の第一ページにある文章は、次のような活字だった。

「戦災地デ戸籍地域ノ区役所、各県庁ガ焼失シタ場合ニハ、戦後昭和二十一年カラ二十二年ニカケテ戸籍再製届出ヲナスモノトス」

今西栄太郎は目を上げた。

「すると、この戸籍も、昭和二十一年から二十二年の間に再製の申請がなされたのですか？」

「いえ、そうではありません。あとから届が出る場合もあります」

「すみませんが、この人の場合、何年ごろに再製の届出がなされたか、調べていただけませんか?」

「それは、すぐわかります」

女事務員は、その原簿を取って繰っていたが、

「この方は、昭和二十四年三月二日に届が出ています」

「昭和二十四年?」

今西は考えるような目つきになった。昭和二十四年というと、当人が十六歳である。

「その再製の届出には、本人の申し立てがまちがいないということを証明する、保証人といったものが必要ですか?」

「なるべくなら、そういう人があるのが望ましいのです。けれども、戦災などという特別な場合は、それを証明してくれる人もいないことがあります。そういうときは、やむを得ず、本人の申告どおりに再製することにしています」

「では、この場合も、本人の申告どおりに戸籍再製をやったわけですね?」

「待ってください。それは調べてみましょう」

女事務員は席を離れた。

ここから見ると、戸籍係というところは、いくつも戸棚を持っているのがわかった。彼女は積み重ねた戸棚の下にかがみこんで、しきりと何かを探していた。それはおよそ十分間も

かかった。探すのに手間取っているらしい。窓口には客がたまってゆく。今西は、少し気の毒になった。

女事務員は、ようやく、今西の前に戻ってきた。

「いま、調べましたところ、その申請書は五年間の保存ですから、もう処分しています」

「ははあ」

今西は、ちょっと頭を下げた。

「どうも、お手間を取らせました」

「いいえ」

「ついでにおききしますが、その申請は、本人の申し立てがあれば、そのとおりに書くわけですね？」

「ええ」

「たとえば、ここに、ある人がいて、虚偽の本籍を登録したとする。そういう場合も見分けがつかないわけですね？」

「そうなんです。わたしの方はなにしろいっさいの原簿を焼いてしまってますから、嘘の申告をされても発見のしようがありませんわ」

「そうですか……」

今西は、そこに立って考えていた。まだ、聞くことが残っていそうだった。

「さきほど、申告が嘘であっても、その発見のしようがない、と言いましたね」

「はい」

女事務員はうなずく。

「どうしてもその作為はわかりませんか？　何かわかる方法があるでしょう？」

それでなければ、あまりに手続きが安易すぎる。

「それはあります」

女事務員は果たして答えた。

「ほう、ありますか？」

「はい、たとえば、この戸主英蔵さんの出生地が記載してあれば、その地方の市役所か、村役場に、問い合わせて、確かめてみるのです。妻のキミ子さんの場合もそうです」

なるほど、そうだろう。そういうことは考えられる。

「で、この場合は、そういう手続きをしたのですか？」

「確かにしてるはずです。でなければ、受けつけるわけはありませんから」

今西は、それを追及した。

すると女事務員は、ちょっと待ってください、と言い席を立った。

彼女はまた棚のところに行って、厚い綴込みを探している。かなり長い間だった。

やがて、彼女は戻ってきた。

「当時の事故簿をいま見たんですが、それを受けつけた係りはやめて、いま、ここにおりません。けれども、事故簿には、当時、その届出を受けつけたが、戸主英蔵さんも、妻キミ子さんも、本籍地の点は、追完届になっています」

「追完届？」

なんのことかわからなかった。

それを察したように、女事務員は説明した。

「これは、わたしの推測ですが、たぶん、そのとき届けられた人は、戸主英蔵さんの出生地も、妻キミ子さんの出生地も戸籍上の詳細な地名を忘れていたんじゃないですか」

「忘れた？」

「と思いますね。なにしろ、この届け出られた人は、当時十六歳です。両親が戦災死して、急に亡くなったのですから、その前に両親の出生地について正確な知識をもってなかったのかもしれません。それで、書きようがなくて、つい、そのまま戸籍を再製したと思います。あとで、戸主の、つまり両親の本籍地がわかったら本人に届け出るように約束して便宜をはかったのだと思います。そういう手続きを追完届といいます」

そうか。そういうことも考えられるものか。

ありそうなことである。

ありそうな、というのは、十六歳の当人が両親の戸籍出生地を憶えていなかったということではない、頭脳のいい当人の申し立てがいかにもそれらしいと考えられるのである。

「いや、いろいろとありがとう」

今西は、長いこと手間を取らせた詫びを言った。

今西は外に出て、いそいそとした足取りになった。

——浮浪児は、かつてこの大阪に住んでいたことがある。これだけは確かだった。

今西栄太郎は、それから京都府立××高等学校に向かった。

京都府立というと、京都市内に近いと思われたが、そこはむしろ大阪府の方に近い市だった。

高等学校は、市からはずれた丘陵の上に建っていた。今西は、学校のすぐ下までタクシーで来て、それから高い石段を上がっていった。汗が出た。

会ってくれたのは、校長だった。五十四五ぐらいである。痩せて、背の低い、人のよさそうな人物だった。

今西は、ここで来意を告げた。

「ほう。この生徒は、何年卒業ですか？」

「いや、卒業じゃあ、ありません。中途退学になっています」

今西は言った。

「中途退学？　すると何年生のときですか？」

「それがよくわかっていません」

「では、退学した年は、いつですか？」

今西は頭を掻いた。

「それも、実は、はっきりしないのです」

校長の方が当惑を見せた。

「それは弱りましたな。では、年齢からいくより仕方がないですね。その人は、何年生まれですか」

「それだったら、旧制中学時代ですね。弱りましたな」

今西は、その生年月日を告げた。

と、校長は顔をしかめた。

「実は、当校は戦災にあいましてね。旧制中学時代の記録は、全部、焼失しました」

「えっ、ここもですか？」

今西はがっかりした。

「やっぱり昭和二十年の三月十四日ですか？」

「いいえ、この市はもっと早く焼かれました。なにしろRという軍需工場がありましたのでね。一番に狙(ねら)われたのですよ。昭和二十年の二月十九日に大空襲を受けました。そのとき、市の大半が灰燼(かいじん)に帰(き)したのです。もちろん、当校は、当時の中学校として市のまん中にあったので、いっしょに焼かれてしまったのです」

「すると、中学校当時の卒業生名簿とか、在校生の名簿といったものは……」

「はい、すっかり失ってしまいました。いま、大急ぎで手分けして、できるだけ再生しているんですがね。なにしろ、古いものほどわからなくなってしまいました」

「それは残念ですね」

残念というのは、今西自身にとってだった。

「残念です。大正時代の創立ですから、当時の記録を失ったのは、ほんとに申しわけのないしだいです」

「何とかわからないでしょうか？　いえ、わたしがおたずねしてる、この人物のことですが」

「そうですね。今、生年月日をうけたまわってみると、それから類推して入学時のことを考えるのも、一つの方法だと思います」

「といいますのは？」

「さよう。そのころの卒業生は、だいたい、心当たりがついています。もし、おたずねの人が二年で退学してもクラスはいっしょだったに違いないから、記憶があるかもわかりません」

それは確かにいい工夫だった。

「そんな人がこの近くにいらっしゃいますか？」

「おります。現在、酒の醸造をやっていますがね。ちょうど、そのころの生徒だったと思います」

今西栄太郎は、街に引き返した。

市の半分が戦災にあったというだけに、繁華街というか中心街のほとんどが新しい家になっている。が、辺鄙（へんぴ）な方は古い町並みであった。戦災地と、残っている町とが、ここでは画然と分かれていた。

××高等学校の校長に教えられた行先は「京の花」という名前の酒の醸造元だった。塀の外からも酒蔵が見える。表の構えは、いかにも関西の酒屋らしい格子構えにできていた。「京の花」という看板が屋根に大きくのっている。

今西は、店にはいって当主に面会を求めた。

二十七八の若い主人が出てきた。

ここで今西は、ある人物のことで××高等学校に寄り、そのころの同級生と思われるこちらを紹介されてきたのだ、と言った。

「待っとくれやす」

若い当主は腕組みして、目を天井に向けた。彼は懸命に思い出そうとしている。

「あ、わかりましたよ」

「えっ、わかりましたか？　そういう人がいましたか？」

今西は思わず相手の顔を見つめた。

「確かにいたようですね。そうです、そうです、途中でやめましたな。二年生のときと思ってまんねん」

「それはどこから通っていたか、知りませんか？」

「ええと……、この町の、どこかに下宿していたようですわ」

「下宿？」

「へえ。家が、大阪の方やから、こっちに下宿してるのや、と言いよりました」

「その下宿は、どこですか？」

「いま、おまへん。あの辺、すっかり焼けてしもて、跡形もあらしまへんわ」

「その下宿屋さんの名前もわかりませんか？」

「さあ、はっきりとは知りまへんな。その男は、二年生になってからすぐ、学校をやめてしもたよってに、おそらく古い級友かて、だれも知りまへんやろ」

「そうですか」

ここでも「戦災」が捜査の壁になっているのだ。

今西は、ここで、その名前の人物が、現在、東京で活躍していることを知っているか、ときいてみた。

「いいえ、知りまへんな」

当主は首を振った。

今西は、手帳にはさんだ新聞の切抜きを取り出した。それには写真がのっている。

「現在の顔は、これですがね。見覚えはありませんか？」

若い主人は手に取って、つくづくと眺めていた。

「そうでんな、こんな顔でしたわ。けど、何や知らん、短い間のことでしたから、ぼんやりと、こんな顔やという印象だけですわ。へえ、あいつ、東京でそないに偉い人間になってまんのか」

と、びっくりしていた。

「当時の担任の先生は、いま、いらっしゃいますか？」

今西は切抜きを手帳にはさんできいた。

「その先生は、戦災にあって、お気の毒に亡くなはりました」

今西栄太郎は、その夕刻、京都駅に行った。

八時半の上り急行にはまだ間がある。彼は駅前の食堂でライスカレーを食べた。

わざわざ、こちらに来たかいはあった。

だいたいのことは予想していたが、まず、裏づけは取れたと言っていい。

島根県の山奥を、業病の父親と、いっしょに歩いていた七歳の子供は、亀嵩で脱走し、大阪に出た。

彼は、そこでだれかに拾われた。彼は、数年間、その人のもとで成長した。

このかたちは、たぶん、養子ではあるまい。小僧として住みこんでいたのかもしれない。

その店も、当主も、戦災で消滅したと思える。とにかく、いまは跡形もない。

しかし、それがあの戸籍にある英蔵とキミ子夫婦ではあるまい。この名前は、届け人のこしらえた架空のものである。夫婦とも本籍地がわかっていないのが、その証拠だ。追完届という処置は取られているが、いまだに、夫婦の出生地を届け出ていないのだ。

彼は、その後、京都府××市に行っている。下宿と称しているが、それも、果たして真実かどうかはわからない。もしかすると、大阪の家から移って、別な家に拾われたのかもしれない。その家もやはり空襲で焼失している。

彼は中学二年で退学し、その後東京へ出たのだ。

要するに、彼が大阪、京都と居た事実はあるが、それを証明する証拠は何も残っていないのだった。

彼がその両親を大阪の浪速区恵比須町二ノ一二〇番地に設定したのは、賢明なやり方だった。ここでは戦災のために戸籍原本の一切を焼き、同時に、もう一つの戸籍原本を所蔵している法務局も書類一切を焼いている。

京都府立××高等学校に在籍したことも同じ手法だった。この学校も旧制中学時代の記録を焼失している。また、その市街も大半戦災にあっている。

痕跡はあるが、どこにも彼の履歴を証明する具体的な証拠は残っていなかった——。

今西栄太郎は、辛いライスカレーを食べ終わり、茶を飲んでいると、そこに客が残していったらしい夕刊があった。彼はそれを手に取った。地方紙である。

何気なく見ていると、文化欄の隅にのっている次のような記事が目に止まった。

「和賀・関川両氏外遊決定。

和賀英良氏は、かねて渡米を計画していたが、いよいよ、きたる十一月三十日午後十時、パン・アメリカン機で羽田空港を出発する。同氏は、ニューヨークを振り出しに、アメリカ各地を回り、さらにヨーロッパに向かう予定。

関川重雄氏は、十二月二十五日、エール・フランス機でパリに向かう。同氏は、フランスを振り出しに、西独、イギリス、スペイン、イタリア各地を歴遊して来年二月下旬に帰国する予定。同氏は、国際知識人シンポジュウムに日本代表として出席するもので、ヨーロッパ各地を巡る」

3

今西栄太郎は、朝、東京に着いて、一度、わが家に帰った。

「お疲れだったでしょ。こんなときは、ひと風呂浴びるといいんだけど、銭湯は十時からですからね」

妻は残念そうに言った。

今西は、まだ風呂桶を買っていない。わが家で風呂をたくのが唯一の懸案だが、まだ実現できなかった。家が狭くて場所もない。風呂桶を据えるとなると、どうしても建て増しをしなければならなかった。その費用がなかなか貯まらないのである。

「いいよ。あんまり時間もないし、一時間ほど寝るからな」

今西は、妻に、京都みやげの千枚漬の樽を渡した。

「あら、大阪だということでしたが、京都までいらしたの?」

「ああ。われわれは仕事のうえでどこに行くかわからない」

「京都って、いいとこですってね。一度、ゆっくり行ってみたいわ」

女房は千枚漬のレッテルを眺めながら言った。

「ああ。定年になって、退職金でももらったら、一度、ゆっくり行こうよ」

どこに行っても、仕事だと見物する余裕もない。またその気持ちも起こらなかった。仕事で頭がいっぱいなのである。

昨夜(ゆうべ)は、京都からほとんど眠らないできた。車内が混んでいて、今西は通路に新聞を敷き、うとうとしたり雑誌を読んだりしてきた。

今西は畳の上に横になった。

「あら、カゼをひきますよ。いま、布団(ふとん)を敷きますからお着替えになったら？」

「いや、そんな暇はない」

妻は押入れから布団を出して、彼の体の上に掛けた。疲れて、顔がどす黒くなっている。

眠って間もないところを起こされた。

「もう、十時ですよ」

妻は気の毒そうに傍(そば)にすわっていた。

「そうか」

今西は、布団をはねのけて起きた。

「眠いでしょ？」

「いや、ちょっと眠ったから、ずいぶん助かった」

今西は、冷たい水で顔を洗った。いくらか気分が晴々した。

「今夜は早いんでしょうね？」

あたたかい朝食を食べながら妻がきく。

「ああ、今日は早く帰る」

「ぜひ、そうしてください。でないと、体がもちませんわ」

「そうだ。以前は、ふた晩ぐらいつづけて徹夜の張込みをしても、平気だったがな」

今西は、熱い茶をすすった。

警視庁に着いたのは、十一時過ぎだった。彼は係長のところに報告にいった。

係長は熱心に聞いていた。

「わかった。ご苦労だったな」

そう言って、係長は一枚のメモを今西にくれた。

「君が、参考として話を聞くのには、この人が適当だろう」

メモには「東京××大学教授工学博士久保田貞四郎」とあった。

今西栄太郎は、東横線の自由ヶ丘駅に降りた。そこから東京××大学までは、徒歩で十分ばかりだった。

門をはいると、すぐ横に守衛詰所があった。今西が、そこで用件を言うと、守衛は電話をかけていたが、

「どうぞ」

と言い、行先の順序を教えた。

今西は、空に高々とそびえているポプラの並木の下を歩いた。学生が連れ立って歩いている。本館を過ぎてしばらく行くと、白い二階建ての洋館があった。

今西は、その玄関をはいり、コンクリートの階段を二階にのぼった。

建物はかなり古い。コンクリートの廊下と白い壁を見ていると、肩が冷えこみそうな感じだった。

「久保田教授」と名札の掛かっている部屋の前に来た。

今西は、そこでちょっと服装を直し、ドアを叩いた。

中から、どうぞ、と声がかかった。

ドアを開くと、かなり広い部屋で、片方に机があり、一方の壁際には、会議室みたいな長いテーブルを取り巻いて、椅子がいくつも並べられてあった。

机の前には、五十過ぎの、痩せた紳士がすわっていて、今西の方を振り向いている。

「久保田先生でいらっしゃいますか？」

今西はきいた。

「そうです」

教授は椅子から立った。微笑している。髪は、もう、半分白かった。

「警視庁の今西と申します」

直立不動の姿勢は癖になっているのだった。

「さあ、どうぞ」

教授は歩いて、会議用の椅子に今西を招じた。

「恐れ入ります。お忙しいところ恐縮ですが、今日はいろいろと教えていただきたいと思いまして」

「ああ、電話をいただきました。音響のことですってね」

「はい……私どもは、全然、ズブの素人ですから、なるべくわかりやすいように教えていただきたいのですが」

今西は恐縮したようにおじぎをした。

「さあ、うまく話せますかな」

教授はおとなしい微笑を見せる。

「やはり、それも犯罪捜査に関係があるんですか?」

「はい。ただ今のところ、はっきりはいたしませんが、先生のお話を一応うかがっているうちに、私どもの考えていることに結びつくような点が出てくるような気がいたします。つきましては、音でございますが、われわれが聞いている、この音というものが、ある機械装置で、どのように変化していくかを教えていただきたいと思います」

「機械装置でね」

教授は小首をかしげるようにして言った。

「さあ、それなら、まず、音の概念ということから、お話ししませんと、のみこんでいただけないような気がしますが」

「はあ、よろしくお願いします」

むずかしい内容を覚悟して、今西は頭を下げた。

「そうですね。まず、われわれで言う音の概念から申しあげましょうか」

と、久保田教授は言い出した。

「音は、楽音とか、非楽音とか、騒音とか、純音とか、そのほか複合音、単音、協和音、上音というふうに分けています。楽音というのは、一定の周期で同じ波形を繰り返す音で、概して快感を与えます。たとえば、弦楽器だとか、管楽器の音、声の母音などですが、これは自然界にはほとんど存在しません。非楽音というのは、楽音ではない一切の音を指して、概して不快な感を与えると言われますが、音楽にも使われます。たとえば、足音、水音、風の音、電車の音、打楽器の音など現実の音は、楽音と非楽音とに分けられるはずですが、その境界は必ずしもはっきりしていません」

今西は、メモを取るのに一生懸命だった。

「騒音というのは、聞く人にとって聞きたくない音、すなわち邪魔になる音です。これは全く主観的な分類でして、たとえば、ラジオの音などは、他人がスイッチを入れた場合は騒音になりうるし、工場の騒がしい音とか、交通の騒音とかは、取り締まりの対象ともなることです。

次に、純音というのは、単一周波数の音で、自然界には存在せずに、人工的に発生します。これは正弦波形をもつ音です。

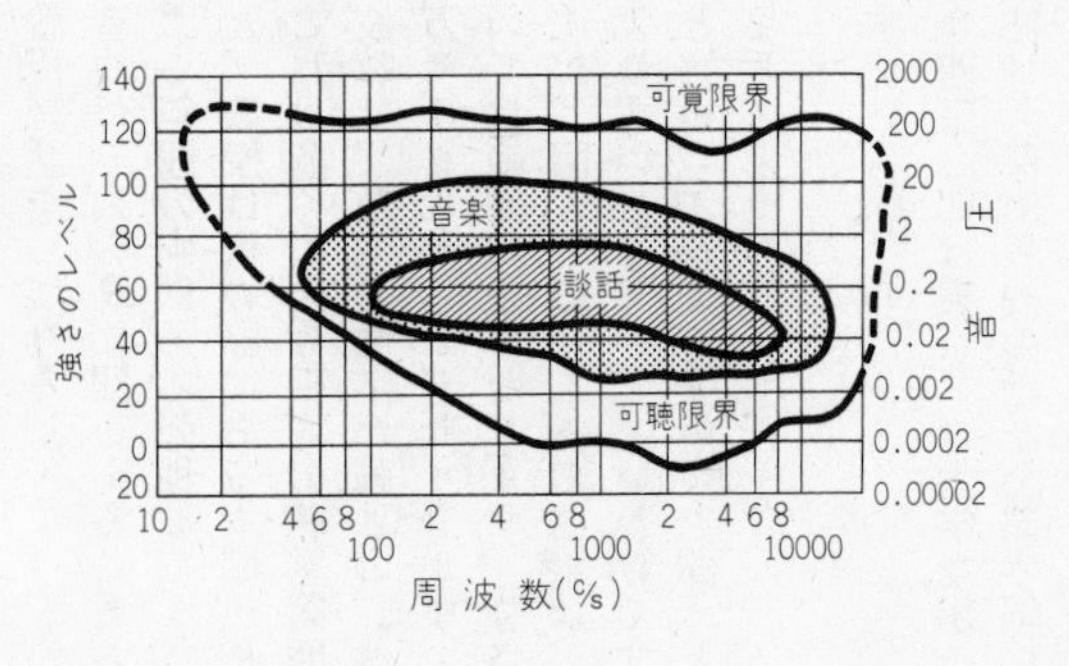

聴覚の範囲

実吉純一著『電気音響工学』より

複合音というのは、周波数の違う多くの純音が集合したもので、楽音と同じものですが、その、それぞれの純音を部分音と言います。単音というのは、一つの基本音と、その整数倍の周波数をもつ倍音とから成る楽音です。協和音は、この単音の集合であり、また上音は、基本音を除いたすべての部分音のことです」

今西はメモを取っていく。

しかし、この段階では、彼の知りたいところにはまだ遠かった。

だが、こんなところから講義を聞いていかないと、いきなり、こちらのツボには、はいっていけないにちがいない。

「わかりますか？」

教授は、学生のように筆記している今西の手元をのぞきこんだ。

「はあ、まあ、何となく」

今西はあいまいに答えた。わかったようなわからないようなのが正直な気持ちだった。

教授は話をつづける。

「音波は、人の耳に聞こえることと無関係に存在するものです。可聴音波とは、人の聴覚に感ずる範囲の中にある弾性波です。これをごらんください」

と、教授は机の脇（わき）にある本棚から一冊の本を出して、図解の部分を示した。

「これは多くの人の平均の聴覚範囲を、周波数と強さについて示したものです。下の数字が周波数で、左側の数字が強さのレベルですね。右側は音圧です。聴覚の周波数範囲は、普通一万サイクルから二万サイクルまでであると言われていますが、この図のように、弱い音については範囲が狭くなります。強さの範囲についても、この図のように周波数によって違いますが、図の下のところの曲線は、最小可聴覚価または可聴限界と言います。ですから、これより弱い音は聞こえないわけですね。この図の上部の曲線は、最大可聴覚価または可覚限界と言い、これより強い音を聞くと、音以外に、むずがゆいとか、痛いなどの別の感覚を生じます……」

4

今西栄太郎は東京××大学を出ると、一応警視庁に帰った。

彼は久保田教授の話を全部手帳にメモしている。

その話で、ふと頭をかすめた記憶があった。ずいぶん前のことである。

あれは女房と川口の妹が、横で映画の話をしているときだった。今西はその会話をまだ憶えている。

（映画も、本モノよりも予告編がおもしろいわよ）

妻の声である。

（そうよ。だって、予告編はあとから客を呼ぶために、おもしろいところだけを編集しているんですもの）

妹の返事だった。その声が耳に残っている。

そのときは、今西の目は新聞の活字を拾い、耳は会話に奪われていた。

今、彼が思い出しているのは、あのとき気乗りしないで見ていた新聞のことだった。

事実、それは興味をそそらない科学記事だった。

突然、今西の記憶に浮き上がったのも久保田教授の話を聞いてからだった。

各新聞は、警視庁にも保存されてある。

「今日は」

今西は広報課にはいっていった。

「やあ」

課長が遠い席から明るい声で応える。

「今日は何だね？」

この間から、ここでは参考書のお世話になっている。

「すみませんが、××新聞の綴込みを見せてくれませんか？」

「いつのかね？」

「先月の分です」

「それなら綴込みからはずして、別なところに置いてある。勝手に見てくれたまえ」

「すみません」

今西は課長の言うままに、戸棚の隅の方に行った。

なるほど、各新聞の綴込みは別な紐でくくられて、うず高く積み上げられてある。

今西は探したが、三四冊下のところに目的の新聞がはさまっていた。

今西は、それを明るい窓の下に持ち出して、およその見当で日付を探した。

探すときは、なかなか見つからないものだった。

今西は、ポケットから眼鏡を出して掛けた。かなり手間をかけたあと、ようやく見覚えの記事にゆき当たった。

相当長い。

今西は手帳を出してそれを筆記しはじめた。細かい活字を写すのは苦労である。

しかし、今西の心は躍っていた。彼はかなり手間をかけてそれを写し、新聞綴りを閉じた。

「何を写したんだね？」

課長がきいたとき、今西は黙って笑っていた。

一時間後、今西は蒲田署に吉村刑事を訪ねていた。二人はだれもいない狭い部屋にすわった。

今西栄太郎は、吉村に、自分の調べたことを話して聞かせた。

吉村は一語も聞きのがさないように耳を立てていた。

「そこで京都の話は終わりだ」

と今西は言った。

「今度は東京だがね。ぼくは××大学に行って、音響学の先生に話を聞いてきたよ」

「オンキョウガク？」

「音の学問さ」

「ああ、なるほど」

「学者というものはむずかしいことを言う。ここに筆記してきたが、実は、ぼくもよく理屈がわかっていない。先生の方では、なるべくわかりやすいように話してくれたのだが、がんらい、その方は頭が弱いときているからね」

今西は、もそもそと手帳を探った。

「ここで、その手帳を読みあげても仕方がない。それよりも、ぼくは前にうっかり読み過ごしていた新聞記事を思い出したんだ」

「ははあ、どういう新聞記事ですか？」

「これも、むずかしい記事でな。ぼくが前に見たときもろくに読む気もなしに読んだんだが。……これだよ」

彼は、さっき写してきた新聞記事を吉村に見せた。

「超硬質合金に穴あけ革命――強力超音波の応用　極東冶金では、このほど強力超音波の原理を応用して、いままで不可能とされていた硬質金属の穴あけに成功した。これだと、従来の限られた切断機に見られない自由な穴あけが容易にできるのみならず、深部にまで徹底し、この技術の応用しだいでは、将来自由な形にくり抜ける可能性も出てきた。同社では、この技術革命によって、いままで隘路とされていた硬質合金の大量加工に一大飛躍が訪れる、と言っている。この工程によれば、従来のものより十倍の加工が可能とされ、革命的な技術完成と各方面で称されている」

吉村はおしまいまで、それに、目をとおした。

「今度はこれだ」

と、つづけざまに今西は手帳を繰った。

「これを見なさい」

吉村がのぞくと、それは、いつか今西といっしょに宮田邦郎の死んだ現場で拾った、模造紙の紙片だった。

「失業保険金給付総額

昭和二十四年　――

二十五年　――
二十六年　――
二十七年　――
二十八年　二五、四〇四
――
――
二十九年　三五、五二二
――
――
三十年　三〇、八三四
――
――

「……………………」


「これは失業保険金給付総額だな」

「そうでしたね」

「君、これは宮田邦郎の死と関係があると思うかい？」

「あのときもそれが問題になりましたね。やっぱり、つながりがあるんですか？」

吉村が先輩の顔を見つめた。

「ある、と言いたいね」

今西は言った。

「あのときは、だれかが偶然にあの場所に落としたものと思っていたが、いまは逆の見方が強くなった。つまりだな、あれは、ある人物がわざとあの草むらに落としたのだ」

「わざとと言いますと？」

「どういう心理だろうか、ぼくにはよくわからないが、ある人物の一つの挑戦（ちょうせん）とみられないこともない」

「挑戦ですって？」

「人間は、心が驕（おご）ってくると、そういう気持ちになるものだ。どうだ、これはわかるまい、といったようなせせら笑いがしたくなるものだ。これがそうだと思う」

「しかし、これは保険金の給付額ですよ」

「そうだ、たしかにそれに間違いない。ぼくはこの数字に疑問をもって、一応調べてもらった。わざわざデタラメを書く理由がないから間違いはないと思ったが、念のため調べてみた。すると、全く、この数字はごまかしようのない本モノだった」

「この数字と宮田邦郎の死と、どういう関係があるのですか？」

「よく見たまえ。これに、金額の書いてない部分があるね。ほら、二十八年と二十九年、三十年にはある。ところが、二十四年からは全部脱けて、二十八年と二十九年の間は二つの棒が引いてある。まあ、二十七年前は省略したとしても、二十八年と二十九年の間に、それぞれ空白があるのは、なぜだろう？」

「さあ、わかりませんね」

「ぼくも、はじめは統計上の意味があると思っていた。しかし、よく考えてみると、それはおかしい。何もわざわざ、間を空白にすることはない」

「では、その空白にも特殊な意味があるのですか？」

吉村は失業保険金給付額表を見ながらきいた。

「ある、と思うね。今までそれに気づかなかった。ただし、この空白の欄が昭和二十八年、二十九年の間、つまり、同年の間に、二回、三回と給付がなかった。これはただ省略したと思うだろう。それは逆だった。なにも意味なしに引かれた空白だ。ただし、それは統計表として見る場合だね」

「よくわかりませんが」

吉村は頰杖(ほおづえ)をついた。

「この失業保険金給付額は、それぞれ、二五・四〇四、三五・五二二となっている。この数字だけを普通に読むと、二万五千四百四、三万五千五百二十二となる。むろん、この表では、金額的には別な単位になるだろうが、数字だけをみると、そういう呼び方になるわけだ。ぼくはさっき音響のことを君に受け売りしたね」

「はあ」

「つまり、音はあんまり低くても人間の耳に聞こえず、あんまり高くても聞こえないのだ。普通の人間には、二万サイクル以上になると、もう音という感じがしなくなる……」

「あ、わかりました。では、この二万五千、三万五千、三万、二万四千、二万七千、二万八千というようなものは、高周波数をあらわしているわけですね」

「そうだ。つまり、超音波だ。いわばこの保険金給付額というのは、超音波の高周波案配表とでもいうかな」

「………」

「もちろん、これは金額だから端数がある。しかし、三万五千とか、三万というのは、おそらく、ほんとうにそれだけの周波を出す青写真になっているかもしれない」

「すると、間の空白は休みの部分ですか、音楽によくありますね。確か、パウゼといったと思います」

「そうだ、きっとそれだろう」

今西は音楽のことにはかいもく不案内である。

「すると、これは高周波を出しっぱなしにしたのではなく、逆に休みがあったわけですね。もし、この表のとおり実行したとすると、そうなるわけですね」

「休みがあったと思う。つまり高周波を出しっぱなしにしたのではなく、また逆に休みを入れて、こういうふうに周波数を変えていたのだと思うね」

吉村はうなったような顔をした。

「効果的には同じ周波数を連続的に出すよりも、断続的に少し変えて出した方が、相手に与える効果がありそうだな」

これは今西の意見ではなく、彼が久保田教授から聞いてきた知識のようだった。

「しかも、ぼくの考えだがね」

と、今西は断わって言った。

「この休みもただの休みじゃないんだ。ぼくはその間に絶えず音があったと思うね」

「すると、ゼロではなかったわけですな？」

「そうではなかった。音は続けられていた。しかし、その音はこのような超音波ではなかった。われわれの耳に快く聞こえる音だった」

「快く聞こえる？　音楽ですか？」

「そのとおり。超音波と超音波との間には、というよりも、音楽の途中に超音波が出ていたのだ」

「超音波？」

吉村は茫然（ぼうぜん）とした。

「むずかしい理論は、ぼくもわからないし、久保田先生から聞いた話を受け売りしても、かえってややこしくて間違うだろう。とにかく、そういうものが存在していることを知ってほしい。そして、それを扱う学問を音響学というんだそうだが、現在では、その理論を応用してさまざまな方法が考えられている。たとえばだな、ここに写した記事だってそうだ」

今西は手帳のページを繰った。それは、警視庁の広報課で苦労して写し取った、例の記事だった。

吉村は熱心に読んだ。

「なるほど、超音波というのは、手術用のメスの代わりにもなるんですね」

「そうだ。まあ、この方法はその一例だそうだが」

「しかし、これはたいへんな設備がいるでしょう。また手術した患者の体にも傷痕が残るでしょう」

吉村の質問で、彼の考えていることがわかる。つまり吉村も、ようやく、宮田邦郎と三浦恵美子の死が自然死でないことを感づいたらしい。宮田邦郎の死体には外傷もなかったし、毒を飲んだ形跡もなかった。解剖したのだから、その点ははっきりとしている。

また、三浦恵美子の場合にしても、宮田邦郎と同じ状態だった。ただ、違うのは、彼女が妊娠していて、異常流産になっていたことだ。

もし、今西の言うように、超音波を利用して殺人が行なわれたとすると、手術用のメスのように、やはり外から加えられた攻撃の痕が残っていなければならない。この点は、普通の凶器と、超音波の利用という新しい凶器との違いだけである。ところが、宮田邦郎にも、三浦恵美子にも、その状態がなく、医者も、解剖医も、心臓麻痺、あるいは出血多量のため、と診断している。

「君が言うとおり」

と、今西は言った。

「もし、宮田邦郎と三浦恵美子の場合が殺人だと仮定すると、今までにない新しい手口だ。ところが、吉村君。ここで考えてみなければならないことがある。たとえばだよ、宮田と三浦を殺した人物が、蒲田操車場で三木謙一を殺害した犯人と同じだとしたら、その手口に大きな開きがあるのに気づくだろう？」

「そうですね」

　吉村はうなずいた。

「そりゃあたいへんな違いです。なにしろ、一方は、被害者を扼殺して、その上から石でめった打ちにしてるんですからね」

「そうだ。その殺害方法は、単純で残虐的だ。ところが、この方法は、一面から見ると、瞬間的とも言える。つまり、計画性がない。一方、宮田邦郎と三浦恵美子の死が他殺だとすると、犯人はおそろしく知恵を働かして、細心な計画で殺害したと言える。ここに矛盾はないだろうか。同じ犯人が、一方では、単純で、しかも発作的な凶行をする。一方では、複雑で計画的な犯罪を設定する。もし、同じ犯人としたら、この心理は、どう解釈したらいいだろう？」

「そうですね」

　吉村は考えていたが、

「それは、三木謙一が急に上京したからではないでしょうか」と言った。

「全くそのとおりだ。もし、宮田と恵美子とに同じように完全犯罪で殺人ができるのだったら、犯人は何も三木謙一だけを除外するはずはない。あんなヘマな殺し方はやらないだろう……。しかしね、また、一方には別な考え方も起きる」

「何ですか？」

「三木謙一の殺され方は、宮田の場合よりずっと原始的な方法だ。宮田を殺した新しい凶器が三木謙一の場合はまだ完成していなかったという見方だよ」

「ああ、そうか。それも考えられますね」

「そうだろう。だから三木謙一殺しと宮田邦郎、三浦恵美子事件とが、手口からいって両極であることに、一つの着眼点が見つけられる」

「そうですな」

吉村は深くうなずいた。

「ところで、三木謙一が東京に来たのは、十一日の早朝だ」と、今西はつづけた。

「彼の殺されたのが、十一日の夜十二時から一時の間だ。だから、被害者は東京に着いたその夜に殺されたことになる……」

「そうです」

「三木謙一が東京に来たのは、むろん彼にそれだけの目的があったのだから、この十一日の朝から夜までの彼の行動が、自身の死を招く原因になったのだ」

これは事件の根本に触れる問題だった。二人は、それぞれの考えを追うように、しばらく黙っていた。

「とにかく」

と、吉村が先に沈黙を破った。

「犯人には、まだ三木謙一を殺す理想的な方法の準備ができていなかったというわけですか、時間的にでなく、設備的に……」

「そういうことだな。だから、五月十一日以後、宮田邦郎が殺された八月三十一日までの間、犯人がその設備をしていた形跡を探るのだ。これが一つの決め手だと思うね」

「しかし、その設備は、きわめて秘密のうちに準備するでしょう？」

「それは考えられる。だが、犯人は例の失業保険金の表を現場に残しておいて平気だったように、まさか、容易には他人に感づかれるとは思っていなかったのだ。秘密には準備していても、たかをくくったというか、油断があったと思う。つまり、彼の心のゆるみさ。われわれのつけめがそこだ」

吉村は今西の顔を食いつくように見た。

「今西さん、三浦恵美子が死の間際(まぎわ)に、うわごとのように言ったという例の言葉……とめてちょうだい。ああ、いや、いや。どうかなりそうだわ。もうやめて、やめて、やめて、……と叫んだのは、その超音波のことですか？」

「違う。彼女の耳には、超音波は、聞こえなかったはずだ」

今西は渋面(じゅうめん)をつくって言った。

第十七章　放送

1

和賀英良の渡米歓送会は、T会館の広間でおこなわれた。

出発にはまだ日があったが、当人が忙しいので、今夜開かれたのだった。

会場は満員だった。カクテルパーティなので、普通の会食ほど儀式張ってはいない。その代わり、親密げな雰囲気が漂っていた。

会場の入口には、記念のため、三つの芳名帳が用意されてある。それもほとんど、いっぱいになるくらいだった。

会場の顔ぶれは多彩だった。音楽関係はもとよりのことで、文学、絵画、彫刻など、あらゆる文化人が参集していた。新聞社も放送局も来ている。

変わっているのは、こういう場合に見つけない年輩者が多いことである。彼らの雰囲気も少し違っていた。これは、将来、和賀英良の岳父となる田所重喜の関係だった。与党の一方の実力者だし、現大臣でもある。年輩者の多くは政治家と官僚だったのである。

正面の金屏風の前に、マイクが取りつけられてあった。

先ほどから、司会者の指名で、次々と名士がテーブルスピーチをやっていた。着飾った女性も多い。洋装よりも和装が多いのは、当人がアメリカに行くためであろうか。

その中で田所佐知子が、これも珍しく振袖で和賀英良に付き添っていた。父親の大臣は、上気しているためか、酒のせいか、あかい顔をしている。それが手入れのいい白髪によく似合った。

銀盆を捧げた白服のボーイが、絶えず群衆の間を縫って歩いていた。

群衆といってもいい。とにかく、これほど人を集めた賑やかな会は最近なかった。静かな談笑と交歓とが、あちこちに起こっていた。

片隅に〝ヌーボー・グループ〟と呼ばれる面々が固まっていた。若い人ばかりで、画家、彫刻家、劇作家、評論家の面々である。

評論家は、もちろん、関川重雄だった。彼らはテーブルのハイボールを取って飲み、ボーイの銀盆からはカクテルを取った。

「この次は、いよいよ、君だね」

関川重雄に画家が言った。

「ああ」

関川重雄は、折りしもスピーチを行なっている老人の方を眺めてうなずいた。

「ぼくは行きたくなかったんだけどな。ほかからすすめられて、つい、その気になった」

「いや、一度は、向こうを見ておくもんだよ」

と、パリに行ったことのある先輩の画家が言った。

「あまり得にはならないが、気持ちだけは広くなる。こりゃあ確かだ」

実は、この画家の言葉には小さな皮肉があった。関川重雄の急な渡欧は、和賀英良の渡米に刺激されたというのである。

というのは、陰でささやかれていることだが、関川重雄は、同年輩の和賀を絶えず意識している。その和賀がアメリカへ行くというので、対抗意識を起こし、自分から秘かに運動して金を集めたという噂があったのだ。

つまり、画家の言葉は、そんなせまい了簡をヨーロッパへ行って捨ててきてしまえ、という関川への忠告であった。

関川重雄は、とぼけた顔をしている。

盛大な会はつづいた。

和賀英良が参会者の間にはいってきた。

彼を捉えて人びとが取り巻く。

和賀英良はだれとも手短に愛想よく話し、その群れを抜けると、また新しい群れの中にはいった。絶えず、彼の行くところに人間の渦が待ちかまえていた。

和賀英良がようやく仲間のグループのところへ来たのは、かなり経ってからだった。

「よう」

と、和賀は言った。

「お揃いで来てくれたね」

一度は挨拶をかわしたのだが、仲間の揃っているところとなると、調子も変わってくる。

「おめでとう」

群衆のために堰かれて、まだ和賀に会っていない遅れた参会者が、彼に次々と挨拶を投げかけた。

「素晴らしい会だね」

と、仲間の画家が賞めた。

「こんな歓送会だったら、おれももう一度、どこかに行きたくなったよ」

「よしたがいいな」

と、彫刻家が言った。

「君だったら、せいぜい十人も集まればいいくらいだ。そのうち、半分は、このさい取りはぐれのないように集まった借金取りだろう」

「そうかもしれん……」

「関川」

と、和賀英良が評論家の傍に近づいてきた。

「忙しいところを悪かったな。君の歓送会に出られないのが残念だ」

「いや、いいんだ。その代わり、向こうのどこかで、君とひょっこり会うかもしれない。そのときは、お互い、大いに飲もう」

関川が和賀の肩を叩いた。

「いい気なもんだな」

と言ったのは、その仲間からはずれた、別のグループだった。

「こんな俗悪な会は見たことがない。見ろ。三分の一は政治家と役人じゃないか。まるで和賀英良の女房の会みたいなもんだ」

関川が和賀と話しているので、

「関川も、このごろ、和賀と握手ができたのかな。前はさんざん陰口をきいていたが、このごろ、言わなくなったじゃないか」

「あいつの対抗意識も、お笑いぐささ。ヨーロッパへ行くなんて、えらく背伸びしたもんだね」

「これで、和賀英良がアメリカから帰る。今度は田所の娘と結婚式だ。また金縁の招待状がわれわれのところにまわってくるだろう。いやだね、またこんな俗悪な騒ぎを見るのか」

「そんなら出なければいいじゃないか」

「いや、そうはいかん。こういう醜悪な会も、やっぱりしっかり、目に観察しておかなくちゃね」

と言ったのは、若い小説家だった。

会場の談笑で、この小さな群れの声はヌーボー・グループの屯しているところには届かない。

テーブルスピーチをする人物の格がかなり落ちたとみえ、だれも聞いている者はなかった。

「おい、関川」

と、和賀が関川の耳元でささやいた。

「話がある。ちょっと、こっちに来てくれ」

2

吉村は、二日のあいだ、放送技術研究所関係を訪ねて歩いていた。

彼は、そこでいろいろな質問をし、さまざまな答えを聞いた。

放送技術研究所ばかりでなく、無線関係の材料屋を逐一まわった。このときは、吉村のほかに、蒲田署の刑事が一人つききりだった。

事件捜査はすでに中止されたと同じことだったが、新しい資料が出てきて、署長も「任意捜査」に重点を置くようになった。資料は、吉村が今西の話や自分の歩いた先から収集したものだった。

今西栄太郎は、吉村にその方面を担当させて、自分は別なことをやっていた。

彼はふらりと前衛劇団の事務所に現われた。

例の事務員が出てきた。

「いつぞやは、お邪魔しました」

今西はにこにこして礼を言った。

「またお世話になりにきました」

「今度は何ですか？」

「この前、お目にかかった衣装係のかたに、もう一度、お会いしたいのですが」

「おやすいことです。いま、ちょうど、来ていますよ」

事務員は衣装係の女史を呼んでくれた。

「先日はどうも」

女史の方から笑いかけた。

「この前、あなたからお話を聞いたことが、たいへん役に立ちましたよ」

今西はだれもいない応接間にすわって言った。これは女史が今西の用事を察して、この場所に案内したのだった。

「先日、うかがった話で、衣装が一枚紛失したことですが、やはり、その後、戻っていませんか？」

「戻っていません。あなたがあのときおたずねになったので、わたしも念のためと思って、改めて員数調べをやったんですよ。やはりなくなったままです」

今西は、当時、その衣服を持ち出した者が、また元へ戻したのではないか、という懸念もあったが、それは女史の言葉で消えた。

「あの衣装は、当分、芝居で使うようなことはありませんか」

「そうですね」

女史は考えていたが、

「今度の出しものも、その次も、予定が決まっていますが、あれを着るようなことはなさそうです」

「そこで、お願いがあるんですが」

今西は頭を下げた。

「どうでしょう、その衣装、つまり代わりのレインコートでしたね、それを二三日拝借できませんでしょうか？」

「お貸しするのですか？」

果たして女史はむずかしい顔をした。

「絶対に、私が責任をもちます。むろん、借用証も書きます。すみませんが、ぜひ、お願いしたいんですが」

「劇団の物は、外に出さないことになっているんですけれど」

女史は困ったという顔をした。が、ほかならぬ警視庁からの頼みだし、彼女も今西の人柄（ひとがら）に好感をもってくれているようだった。

「いいでしょう。あなたが責任をもってくださるなら」

女史は決断を見せた。

今西と吉村とは、その日の夕方、渋谷の大衆食堂で会った。

二人はライスカレーをいっしょにとって食べた。

今西は吉村の食べぶりを見て、

「ずいぶん、君は腹を空かしていたんだね」

と言った。

「ええ。なにしろ、昨日今日二日は、だいぶ方々かけずりまわっていますからね」

その話も、今西は吉村から聞いたばかりだった。放送技術研究所や無線の材料店を克明に当たってきた報告だった。

今西は吉村の話をひととおり聞き、彼が集めた資料を簡単に自分の手帳に控えた。

その文章の中に「パラボラ」というのが出てくる。パラボラというのは、ちょうどお椀の蓋のような形だと吉村は説明した。ある音波を放出するとき、このパラボラを通すとそこで凝集され、強力になる。

吉村が言った。

「何といいますかね。ほれ、ビルの屋上に丸いものが塔の上についているのがあるでしょう。あれです。あれがパラボラです。あの場合は、あの形がずっと大きいわけですね。ところが調べてみると、あなたのお察しのとおり、彼はこういうものをこっそりと買いこんでいましたよ」

吉村は報告に移った。

「それがだいたい七月ごろからだそうです。もちろん、パラボラだけではなく、ほかの器材も買っています。例の押売りのことでも、入口にパラボラとツィーターをとりつけるんだぞうですね。詳しいことはメモに書いてきましたが……」

「三木謙一が殺されたのが五月で、宮田邦郎の死は八月三十一日、だから、七月はちょうど中間に当たるね」

「そういうことになります。そして、今西さんの推察どおり、宮田の死まで二カ月ありますから、いわゆる準備期間は、十分にあったわけですね」

「そうだな」

今西はうなずいたが、顔色は晴れていなかった。

「だいたいの見当はついたね。しかし、問題はわれわれが具体的な証拠をつかむことだ。これがないと、あくまで推定の域を出ないよ」

「そうですね」

「困った。なんとかならないかな」

「完全犯罪に近ければ近いほど、手がかりがないわけですね」

「仕方がない。証拠が集まらないときは、多少の術策はやむを得ないね」

「術策ですって？」

吉村は、今西の口もとを見つめた。

「ここに」

と、今西は小脇（こわき）に抱えていた新聞包みを、吉村に渡した。

「前衛劇団から借りた衣装がある。例の行方不明になったレインコートの代わりのやつさ。

色も形も、盗まれたあれと全く同じだし、宮田の背に合わせて普通市販の物より少し長めになっている」

「これをどうするんですか？」

吉村はふしぎそうな顔をした。

「レインコートは、君が着ていくのだ」

「どこへ？」

「むろん、あの家さ。そこへ行くのは、君とぼくだけじゃない。電波法違反の摘発係官も行く」

「すると電波法違反で摘発するのですか？」

吉村が驚いたように言った。

「無理は承知だ。しかし、これよりほかに方法がない。すでに、捜査一課長から関係方面に了解を取りつけてある。だから、ぼくたちのあとから電波関係の技術員もあの家に行くことになるだろう。それには医者もついていく。法医学者も行く」

吉村は今西の言葉を聞いて、息をのんだような顔になった。

「では、実験がはじまるんですね？」

「そういうことになる」

今西はやはり晴れやらぬ面持ちで言った。

「こういう犯罪は、確証をつかむことが困難だ。確証は実験をしてみるよりほかにない。その間に、当人を外に出しておかねばならぬ」

「ああ、それが電波法違反で警視庁に出頭させるわけですね？」

「そうなんだ」

今西はいよいよ憂鬱げな顔になった。

「しかし、ぼくには確信がある。その確信を科学的に裏づけするためだ。科学者も、医者も、協力してくれることになっている。ただしだね、ぼくの確信を最初に自信づけてくれるのは、君の役目だ」

「私がレインコートを着ることですか？」

「そうなんだ。あのレインコートは、犯人が蒲田の操車場で、血染めのスポーツシャツの上からすっぽりと被ったものと同型だ。色も、生地も、かたちも、まったく同じだ。前衛劇団の民衆劇に出てくる舞台用の衣装だからね」

「しかし、犯人は、自分のものをすでに処分してると思いますが」

「そのとおりだ。血染めのスポーツシャツでも、あのとおり成瀬リエ子に処分させたのだ。上から羽織ったレインコートにも、多少、下に血痕がうつっているかもしれない。犯人は周到な警戒をしていた。だから、レインコートも当然処分したと思わねばならぬ。どこかに隠匿しているとか、ほかの者にやったとかいうようなことはあるまい。犯人としても、そのレインコートを残すと、ルミノール反応か何かで血痕が証明される恐れがあるからね。彼が処分したからこそ、あのレインコートが前衛劇団のところに戻っていないわけだ」

「わかりました」

吉村も今西の意図を受け取ったようだった。

「ぼくは君のそばについている。そして、犯人が君のレインコートを見てどのような反応を見せるか、観察するつもりだ。人間は、どのように準備をしていても、不意に虚(きょ)を衝(つ)かれると、思わず顔色に出るものだ。その判定をぼくがやる。ぼくは、その結果しだいで、彼を電波法違反に問うかどうかを決めたいと思っているくらいだ」

「すると、それは、いつ、決行するのですか？」

「明日の朝だ。八時ぐらいになるだろう。君の方の署長さんにも、その連絡が行っているはずだから、君が帰れば、その指示があるだろう」そのあと一息いれて、

「和賀英良の出発は、いつだったかね？」

と、今西栄太郎がきいた。

「明後日(あさって)の午後十時、羽田空港発のパン・アメリカン機です」

「そうだったな」

今西は、現在からそれまでの時間を計算しているようだった。

「今西さん。間に合いますか？」

「なんとかなるだろう」

しかし、今西の表情の下には焦燥が滲(にじ)み出ていた。

「明日中に結論が出ますか？」

吉村が心配そうにきいた。

「結論を出すようにする」

若い吉村にも、それが、容易でないことがわかっていた。

「大変だ。われわれとしても、のるかそるかの、瀬戸際だ」

今西はきっぱりと言って、自分のその言葉で決意をかためたような表情をした。

「そこで、科学者や医者が実験をしてる間に、ぼくと君とは別な用事がある」

「何ですか？」

「評論家の関川重雄のところに行くんだ」

吉村はそれを聞いて目を輝かせた。当然、そういう運びになるはずだという期待と、いよいよ、その段階に来たという緊張とが、顔に出ていた。

「ここで三浦恵美子が死んだときの状態を考えてみよう。流産の状態になって死んでいた。この辺が順序を逆にしていたのだ。あれは転倒して、その衝撃で、流したはずみに流産の状態になったのかと思ったが、これをもう少し以前に持ってくる。つまり、彼女の死の時間より以前においた方が正しいような気がする」

「やはり、例の超音波ですか？」

「彼女は、一種の〝手術〟を受けたのだ」

「しかし、それだったら、正当な医者のところに行くはずでしょう？」

「本人の意志がそうだったらね。だが、そういう変わった〝手術〟を受けなければならなかったことは、彼女が医者のところに行きたくなかったためだったと思う。つまり、恵美子の意志としては、子供を産みたかったのだ」

「では、だまされて、彼女はそこへ連れていかれたんですか？」

「おそらく、そうだろう。関川は友だちにそれを頼んでいたのだ」

「しかし、彼女は死んでいますね？」

「死んでいる。しかし、それは、さいしょから彼女を殺す意志ではなかった。あれは、その〝手術〟に失敗したのだ」

「では、関川は、その装置を知っていたわけですか？」

「知っていたと思う。いつごろ、それがわかったか知らないが、彼は宮田邦郎の死に彼なりの疑問をもって察したのではなかろうか。もし、恵美子の妊娠ということがなかったら、彼は親友に絶えず、その〝知っている〟ことで優位に立っていたはずだ。君、関川が急に和賀英良の音楽に対して好意的な批評をはじめたのを気づいただろう。彼の優位は、恵美子の〝手術〟を、彼に頼んだことで逆転したのだ」

3

午前八時ごろ、五人の男が音楽家和賀英良の家を訪問した。

寒い朝だったので、コートを着ている者もいたが、一人はうす汚れたネズミ色のレインコートだった。この辺は住宅街なので、ひっそりしている。道には通勤者だけが足早に歩いていた。

一人が玄関前のベルを押した。

出てきたのは中年の女だった。ぬれた手を前掛で拭きながら戸をあけた。

「おはようございます」

背の高い、若い男が言った。

「ご主人はいらっしゃいますでしょうか？」

「あの、どちらさまで？」

中年女は家事の手伝い女らしく、掃除の途中といった格好だった。

「こういう者ですが」

名刺を渡した。

「お目にかかりたいのですが」

「旦那さまは、まだ起きていらっしゃらないようですけれど……」

「すみませんが、お目ざめでしたら、お取りつぎください」

五人も立っているので、家政婦は気圧されたように奥へはいった。

今西栄太郎は、玄関に立って周囲を見まわした。ちょうど、上がりかまちの上に、小さな金属製のゴルフの球のようなツィーターが取りつけられてある。

同行した二三人が、それを見上げて、うなずきあっていた。

家政婦が戻ってきた。

「どうぞ、お上がりくださいまし。旦那さまはおやすみでしたが、すぐ、お目にかかるそうです」

「すみませんね」

五人が通されたのは応接間だった。

八畳ばかりの部屋だが、洋式になっている。簡単ながらしゃれた装飾だった。音楽家らしく、マントルピースの上には楽譜が積み重ねてある。

西洋人の写真も二つ三つ飾られてあった。名前はわからないが、高名な音楽家なのかもしれない。

ほかの者はコートを脱いでいたが、吉村だけはレインコートを着たまますわっていた。窓に隣の家の灯が見える。

五人は黙って煙草を吹かしていた。遠くでドアの閉まる音がしたのは、主人が起きて洗面にでも行ったのかもしれない。近所のラジオが聞こえるくらい静かだった。

たっぷり二十分は待たされた。

スリッパの音が外に聞こえて、ドアがあいた。

着替えたばかりの和賀英良が和服で現われた。髪もきれいに櫛を入れてある。

「いらっしゃい」

彼は手に名刺をつまんでいた。

五人は椅子から立った。

「おはようございます」

一人が言った。

「朝早くから押しかけて、申しわけございません」

「いえ」

和賀英良は、五人の位置を眺めるように見まわしたが、その目が吉村の姿に当たると、瞬間に大きく見開いた。

それは吉村の顔にではなかった。強い視線が彼の着ているレインコートに吸いついているのだ。一瞬の驚愕と疑惑とが、その瞳にむきだしになっていた。

今西栄太郎は、五人の中で目立たぬ位置にいたが、目は和賀英良の顔から離れなかった。

和賀の驚愕の表情は、数秒という短い間だった。しかし、一瞬に見せたそのおどろきと疑惑の顔は、今西の視線に強く灼きついた。

今西は、ふっと溜息らしいものを洩らした。

このとき、和賀英良は静かな表情に戻って、五人と向かいあって腰掛けた。テーブルの煙草入れから一本つまんだが、どういうものか、指先がすぐには器用に煙草をはさめなかった。

若い作曲家はマッチを擦って、うつむきながら火をつけている。煙が口のはしからのぼったが、このわずかな時間が、おそらく、和賀英良に一つの決意と応戦とを準備させていたのかもしれない。

「どういうご用事ですか?」

和賀英良は若い眉を上げて、先ほど挨拶した男に目を向けた。

「恐縮です」

その男はポケットから三つにたたんだ紙を出した。

「これをごらんになってください」

紙片は和賀の手に移ってひろげられた。

和賀の目がそれを読んでいる。しかし、このときはいささかの狼狽もなかった。

「電波法違反、とおっしゃるのですか?」

目を上げたときの和賀の表情には、かすかな微笑が出ていた。

「そうです……。いや、最近、超短波の違反がたいへん多うございましてね。私ども、いろいろな関係から、これをいっせいに取り締まることになりました。それで、電波探知機など使って方向を捜索していたのですが、どうも、お宅の方で高い周波数の電波が出ていることがわかりました……。和賀さんは、そういう設備をお持ちなんでございましょう?」

「はあ、それは」

と、口もとに苦笑らしいものを浮かべた。

「ぼくの音楽は、ご存じかもわかりませんが、電子音楽というやつをやっていますので、その練習用といいますか、実験用に、真空管を使います。しかし、おっしゃるような電波法違反などということは、絶対にやっていませんよ」

「そうですか。しかし、一応、そういう設備をお持ちなら、われわれに拝見させていただきたいのですが」

「どうぞ」

和賀英良は平気だった。軽蔑的でさえあった。

「向こうにございますから、ご案内いたしましょう」

「そうですか。では」

五人はいっせいに立ちあがった。もちろん、吉村も椅子を引いた。

このとき、和賀の目がふたたびきらりと吉村の姿を矢のように射た。今西が最初に見たあの疑惑が、その気がかりげな一瞥の視線に濃く現われていた。

一同は和賀英良のあとに従った。長い廊下を歩いて、別棟への渡り廊下を行く。そこが、実験室といったような小さな建物だったが、和賀は、その正面のドアをあけた。

その内部に一歩はいって、一同はそこが楕円形のスタジオになっていることを知った。天井も、壁も、放送室と同じように完全な防音装置となっている。装置はやはり放送局の一部みたいに、ほかにガラス張りの部屋があり、小規模ながら音量調節室が内部の半分を占めて造られていた。

「こりゃ立派なものですな」

と、叫んだのは、最初から和賀と話をかわしている警官だった。

「和賀さん、われわれは、この装置をゆっくりと拝見したいのですが」

4

警視庁では、三つの処置が取られた。

作曲家和賀英良は、その日、警視庁に任意出頭して、一日中取調べを受けた。彼の出頭名目は、電波法令第四条第一項（無線局を開設しようとする者は、郵政大臣の免許を受けなければならない）の違反である。

罰則第百十条は（左の各号の一に該当する者は、一年以下の懲役又は五万円以下の罰金に処する。——一 第四条第一項の規定による免許がないのに、無線局を運用した者。——二 第百条第一項の規定による許可がないのに、同条同項の設備を運用した者）となっている。

和賀英良宅にできている、スタジオの電子音楽練習用の機械装置は、専門家が集まっていろいろと実験してみた。そこでは、二万サイクルから三万サイクル以上の超音波が発振されることが可能だと断定された。そこで、その超音波が人体におよぼす、あらゆる可能の条件を細密に実験した。これは医者や法医学者が記録した。

最後に、評論家関川重雄が、自宅で長い間、今西栄太郎とほかの刑事たちに参考尋問を受けた。

この尋問は、詳細にわたって長時間行なわれた。

さらに、関川重雄の供述で、刑事たちはその裏づけのために、各方面に走った。

その晩のことである。

警視庁の捜査一課の会議室では、こっそりと合同捜査会議が開かれていた。

これに出席したのは、課長以下、捜査一係長、今西部長刑事、それに蒲田署の捜査課長と吉村刑事など、当時操車場事件に専従していた捜査員たちが顔を並べた。その中に電波関係の技官、鑑識課員、法医学者などが参加した。

まず、郵政省の技官から説明があった。

「和賀氏のスタジオを調べてみた結果を、報告いたします。

このスタジオは、電子音楽の作曲家がつくったにしては相当精密な設計がなされておりま す。部屋は二つに分かれ、小さな調整室と楕円形になっているスタジオ（受信室）となっております。

調整室には短波送信機に超音波の発振器が直結されていまして、超音波は短波の電波に乗せられて発射されるようになっていました。一方、この電波を調整室にある短波の受信機で受けて超音波を取り出し、増幅機にかけて、パラボラ装置のあるスタジオに超音波を出すようになっております。短波の発信機は別棟の屋根裏に隠匿(いんとく)され、必要に応じて使用されるよう切替え装置が調整室にありました。

パラボラというのは、これによって高周波を出す器具でありますが、和賀氏の場合は、ゆうに、三万サイクル以上の周波数が出ることになっていました。この部屋が楕円形になっていることは注目すべきで、これは超音波の音響を最も効果的にある一点に受信しうる環境につくられております。なお、これらの機械の装置についての専門的な詳細事項は、いずれあとで書面をもって、詳細に出すつもりであります。次に、この超音波発振器によって、人体にいかなる影響があるかであります。

端的に申しますと、これで殺人ができ得るや否やの可能性の実験を、ある人を使って行ないました。まず最初に、警視庁の指示どおり、三時間にわたって和賀氏の持っている録音テープを使い、電子音楽を部屋に流しました。もちろん、これには放送関係技術者によって、サイクルの調節を行なっております。そうすると、実験に立たされた人間は、二時間にして精神状態に一種の昏迷がみられ、肉体上の苦痛を訴えるようになりました。すなわち、嘔吐、眩暈、頭痛を知覚したのであります。このような状態において、さらに一方、短波送信機に直結した超音波発振器によって、それぞれ、二万五千、三万五千、三万、二万七千サイクルというふうに、断続的に超音波を出したのでございます。すると、被実験者の心音が、急激に異常状態をみせたのであります。このことについての詳しい報告は担当医からお話があると思いますが、実験された人間が、この装置によって、きわめて危険な状態になり得ることは、確かめられたのでございます……」

次に今西栄太郎が立ちあがった。彼は自分で整理した資料を見ながら話をはじめた。

「今度の事件は、まことに、われわれにたいへん参考になりました。当人は、今日ひとまず、電波法違反で取調べを受けましたが、夕刻、帰宅させております。しかし私は、あくまで本人の犯罪を確信しております。

まず動機から申しあげますと、この点は、本人に対して同情を禁ずることができません。

ここに本浦秀夫という男がございます。その父は本浦千代吉と申しまして、明治三十八年十月二十一日生まれで、昭和三十二年十月二十八日死亡しております。母はマサといい、これも昭和十年六月一日死亡しております。秀夫の四歳のときであります。

本浦千代吉は、原籍地、石川県江沼郡××村でありまして、中年にしてライが発病し、マサと離婚しました。このとき、一子秀夫を手もとに引き取っております。

秀夫は、昭和六年九月二十三日生まれであります。

以上のことは、私が本浦千代吉の戸籍を取って調べたことであり、かつ、石川県江沼郡山中町まで出張して、マサの実姉の家を訪ねて、話を聞いてきたことであります。

本浦千代吉は、発病以後、流浪の旅をつづけておりましたが、おそらく、これは自己の業病をなおすために、信仰をかねて遍路姿で放浪していたことと考えられます。

本浦千代吉は、昭和十三年に、当時七歳であった長男秀夫をつれ、島根県仁多郡仁多町字亀嵩付近に到達したのでありました。このとき、亀嵩駐在所に三木謙一という親切な巡査がおりました。三木巡査は、本浦千代吉が業病を持ち、しかも、すでに末期的症状と見て、ただちに隔離する必要を感じて、法令に基づいて、昭和十三年六月二十二日、仁多町役場よりの紹介で、岡山県児島郡××村の癩療養所『慈光園』に入園手続きをいたしました。このとき、規則によって、連れていた一子秀夫は父親と隔離され、しばらく、三木巡査が自己の造った保育園に預けていたことと思います。

ここに、三木巡査についての性格を申しますと、同巡査は、まことに、立派な警察官でありまして、今でも、同巡査の善行は、同地方で語りぐさとなって伝えられております」

今西刑事は、お茶を一ぱい飲んだ。

「すなわち、同巡査は、村で貧乏の者があれば、わずかな給料でその家の家計を助け、山中に病人が出れば行って肩にかついで山をおり、村のもめごとがあれば仲裁をし、その美談の数々は、私が現地に行って、つぶさに聞いて知ったところであります。同巡査の性質からして、この哀れな本浦父子の処置をした後、幼い秀夫を手もとに保護して、将来、これを適当な他家に養子縁組みさせ、成育させるような心づもりだったと想像されます。

ところが、すでに放浪性のある秀夫は、三木巡査の親切にもかかわらず、亀嵩を脱走いたしまして、一人で、いずこともなく去っていきました。これが、そもそも今度の悲劇的な事件の発端であります……」

今西はここで言葉を切って周囲を見まわした。どの顔も固唾をのんで彼のあとの言葉を待っていた。

「本浦秀夫の消息は、それ以来、杳としてわかりませんでした」

今西はつづけた。

「おそらく、大阪方面へ向かったのではないかと思います。このことはあとで触れるといたしまして、三木謙一巡査は、ついに警部補まで昇進いたしまして、昭和十三年十二月、依願退職なさいました。まことに、同巡査の行動は、われわれ警察官の手本とすべきものがあります。

同巡査はその後、岡山県江見町において雑貨商を開業し、店員の彰吉を養子とし、それに妻をめあわせ、平和な老後の生活をいとなむようになりました。謙一氏は、ここでも仏さまのようだという近所の評判をとっております。

そこで、謙一氏は、長年、自分の夢であった関西方面への旅行を思い立ったのであります。すなわち、同氏は今年の四月七日、江見町を出発して、十日には岡山市に、十二日には琴平町に、十八日には京都というふうに、のんきな旅をつづけていました。これは、養子彰吉にあてて、そのつど旅館から便りを出したことがわかったのであります。

かくて、謙一氏は五月九日、伊勢市××町、二見旅館に投宿いたしましたが、たまたま、近所の映画館に映画を見にまいりました。ところが、その映画館で、同氏はまことになつかしい写真を見たのでございます。そのため、一度は映画館を出ましたが、もう一度、確かめるために、翌日、ふたたび同じ映画館にはいっております。同氏が見たなつかしいものというのは、いったい何でございましょうか。

それは映画ではございません。映画館の中に掲げられていた、ある記念撮影の写真でございます。それには、その劇場主が最も尊敬する、現大臣の某氏の家族が写っておりました。しかし、家族だけではない。日ごろ同大臣の家庭にしばしば出入りをしていた、ある青年の顔を発見したのでございます。この青年は音楽家でございまして、同時に、同大臣の愛娘の婚約者でもありました。三木謙一氏は、その写真についている説明書きを読みまして、その青年が現在若手の作曲家として活躍している和賀英良なる人物だということを知りました。しかし、三木氏の目は、和賀英良ではなく、かつて自分が世話をした業病患者の子供の、本浦秀夫の面影を発見したのでございます。当時秀夫は、なにしろ七歳ぐらいでございまして、同巡査の印象もあやふやでございましたが、記憶力の強い同巡査は、二度目に確かめて、はっきり確信をもったのでございます。

もちろん、七歳の子供の顔と、三十歳の青年の顔とは、ずいぶん人相がちがいます。しかし、三木巡査は、その成長した容貌に幼い頃の特徴を見たと思います。第一線の巡査には、よく人相の記憶に特異質な人があります。同巡査も、そのような、珍しい人だったと思います。

同巡査はひじょうになつかしさを感じ、すぐに帰郷するその夜の予定を変更いたしまして、急遽、東京へ出ていったわけでございます。

私が思いますに、同巡査は、写真の主に会うまでは、おそらく、まだ半信半疑であったのではないかと思います。しかし、記憶に誤りはございませんでした。同巡査は、二十三年ぶりに本浦秀夫に会うことができたのでございます……。しかし、その出会いは、どのようにして行なわれたかはわかりません。これは、当人の自白によるほかはないのでございます。しかし、二人が出会ったことは確かでございます。そして、今年の五月十一日の午後十一時すぎ、蒲田駅前のトリスバーで、二人は落ちあったのでございます……。

当時、本浦秀夫は新進作曲家として将来を嘱望され、また現大臣の愛娘と婚約しまして、まさに前途有望、バラ色の人生を迎えていたのでございます。

しかるに、忽然として目の前に忌まわしき人物が現われたのでございます。もとより、三木謙一氏には他意はございませんでした。長い間別れていた秀夫の面影を伊勢で発見し、なつかしさのあまり、上京して面会したのでございますが、秀夫にとっては一大恐怖でございました。というのは、同氏の口から、もし、自分の前歴が暴露された場合、現在進行している婚約が破棄される可能性のあることはもちろん、そのような忌まわしい父を持っていたことも、また、せっかく、これまで経歴を詐称していたことも、ことごとく暴露するわけでございます。これは当人にとってはたまったものではございませんでした。おそらく、そのときの驚愕、苦悶は、言語に絶するものがあったと想像されます。

ここにおいて、同人は自己の将来のために、あるいは自己の地位の防衛のために、三木謙一の殺害を思い立ったのでございます。これが蒲田操車場事件の殺人動機であります。

さて、いま、秀夫が経歴を詐称していたと申しましたが、和賀英良の経歴を、調べますと、同人は、原籍大阪市浪速区恵比須町二ノ一二〇和賀英蔵の長男として生まれ、母はキミ子となっております。また、その生年月日は、昭和八年十月二日生まれと書いてあります。

ここで注目していただきたいのは、当人は昭和六年九月に生まれていながら、二年後の昭和八年に生まれたことにしてあることであります。

さらに、和賀英蔵とキミ子の死亡は、いずれも昭和二十年三月十四日となっておりまして、これは同日に大空襲がございまして、浪速区恵比須町一帯が焼野原となり戸籍原簿を保存しておりました浪速区役所も、法務局も全部、重要書類と共に灰燼に帰したのでございます。そして、このような場合、当人の届出によって、とくに戸籍が作成されることは、法律によって決められております。ここに目を着けたのは秀夫でございまして、つまり和賀英良なる者は最初から存在せず、昭和二十四年に届け出たその戸籍は、全く本浦秀夫の創作でございます。十八歳の彼がそのような知恵をもったというのは、たいそうな早熟であり、天才的ですが、その動機が、自分の将来のため、業病の父の戸籍から脱出したいというところにあったと思えば、同情に値します」

一座はしいんとなって今西の言葉に聞き入っていた。

「島根県を脱出した秀夫は、たぶん、実際に、その幼年期を大阪で過ごしたことと思います。これは私の想像ですが、たぶん、だれかに拾われて、そこで大きくなったと思います。しかし、これは、現在、どう調べてもわかりません。たぶん、その一家も、あの戦災で全滅したのではないかと思います。

その後、わかってることは、彼が京都府立××高等学校に行ってることです。これは二年で中退になっていますが、当時、その××市に下宿していたと、彼は学友に洩らしていたそうであります。

その後、東京に出て、その天分である音楽的才能を、芸大の烏丸教授に認められて、ついに今日を成すに至ったのであります。一介の浮浪児から、若くしてわが国作曲界の新しいホープとなった彼は、まことに異常な成功といわねばなりません。彼は、いわゆるヌーボー・

グループの中でも特異な存在でありました。また、先ほども申しましたように、某有力政治家の愛娘とも婚約しました……。そこへ、突然、三木謙一が訪ねてきたのであります」

　今西はつづけた。

「蒲田駅付近の安バーに、和賀英良が三木謙一を誘ったのは、おそらく、すでに殺意があったことと思います。そのため、彼はわざと粗末な風采をしていたのですが、このとき三木謙一はお国訛りを出したわけであります。長年、島根県の仁多郡に巡査として奉職していた彼は、つい、土地の言葉が身についたわけであります。それが目撃者によって勘違いされ、東北弁に聞こえたわけであります。あの辺一帯は、現在でも東北弁と同じようなアクセントを使っています。

　捜査は、一時、そのことによって惑わされましたが、やがて、われわれは真実の方向へ進みました。この段階は、ここにくどくどと申しません。

　ただ、和賀英良は、新聞によって、われわれの捜査が東北弁と〝カメダ〟に向かっていることを知り、いずれ、われわれが東北の〝亀田〟に注目するに違いないと、逸早く俳優の宮田邦郎を使って、亀田地方に旅行させ、ことさら怪しげな振るまいをして見せたのであります。宮田自身はその目的を知らないで、頼まれたことをやったわけです。これは、私の想像ですが、宮田は、かねて好意を寄せていた劇団事務員の成瀬リエ子に、そのことを頼みこまれたものでありましょう。

　なお、和賀はその後、ヌーボー・グループの仲間を誘って、岩城町のロケット研究所見学に出かけております。これは調べましたところ、和賀が強引に一同を誘ったことがわかりました。彼は、宮田が果たした役割の成果を、ひそかに探りにいったものと思われます。リエ子は和賀の隠れた愛人であり、和賀の犯行後、彼のもとに当時、劇中で宮田の着ておりましたレインコートを届け、さらに血にまみれた和賀のスポーツシャツを処分いたしております。

ところが、そのあとになって、リエ子は、恐ろしい罪を犯した恋人への絶望から、自殺してしまいました。宮田はリエ子の自殺から、自分の果たした役割をうすうす察して、和賀を責めたのであります。そこで和賀は宮田の口を封じるため、電子音楽と超音波とを併用して心臓麻痺を起こさせ、殺人をやったのです。

このとき、宮田は私と銀座で会う約束があり、劇団の帰りに和賀の家を訪ねたのですが、おそらく、数時間もの間、あの楕円形のスタジオに閉じこめられて、奇怪な電子音楽によって精神を惑乱させられ、さらに気分の悪くなったところへ、超音波を断続的に当てられたと思います。宮田がふだんから心臓の弱かったことは、和賀も知っていたことと思われます。要するに、これまでにはない殺人方法ということを特に強調したいと思います。

この技術的な方法および医学的な所見は、あとで専門の方からお話があると思います。

話が前後いたしましたが、和賀は六月半ばに巣鴨駅付近で自動車事故にあい、負傷しておりますが、ふだん自家用車を乗りまわしている彼が、何のためにタクシーに乗り、しかも縁のない巣鴨あたりにいたか、ということは、彼の友人の間でも不審に思われておりました。

これは、私の推測では、彼が愛人成瀬リエ子を滝野川に訪れた、その帰途のできごとであったと思われるのであります。たまたま、その日は、リエ子が滝野川に引越した日でありました。

一方彼の友人に評論家の関川重雄というのがいます。この関川は、そのライバル意識から、心ひそかに和賀に対して不快に思っていたのですが、あるとき自分の愛人である三浦恵美子、これはバーの女ですが、その女が妊娠したので処置に困り、というのは彼女が中絶を拒絶したからですが、その処置を秘かに和賀に頼みました。以下は関川自身の供述でございますから間違いはないと思います。和賀に頼んだ理由は、彼が秘かに電子音楽によって生理状態に異常を与えることが可能であると言ったことを聞いていたからであります。実は、それが超音波のことなんですが、関川は事情を知らず、恵美子の処置に窮して和賀に頼んだのであります。恵美子は何も知らないで和賀のスタジオにはいり、宮田邦郎の場合と同じような結果になりましたが、そのときは、おそらく、和賀には殺意はなく、妊娠中絶が可能であると思ってその方法をとったことと思います。しかるに、それは失敗し、恵美子はスタジオを出るや、ふらふらになって卒倒したそうです。倒れた拍子に渡り廊下の下に転落し、その堅いコンクリートの床に体が当たって、皮肉にも流産状態を起こさせたのであります。

恵美子の死におどろいたのは和賀英良だけでなく、関川もびっくりしました。しかし、これはあくまで二人の秘密として葬ることにし、そのために、関川は急に和賀に対して弱い立場に立たされたと申します。

以上のことはかいつまんでのことですが、とにかく、本人は明日の夜、羽田を出発して外国に参ります。これから皆さんの質問を受けましてお答えいたしますが、そのご判断によって、和賀英良に対する逮捕状の請求をお願いいたしたいと思います」

5

羽田空港の国際線ロビーは、大勢の人でにぎわっていた。

二十二時発サンフランシスコ行のパン・アメリカン機が出るには、まだ一時間近くの間があった。

いつも、国際線のロビーは、花やかな見送り人で埋められる。とくに今夜は若い人が多かった。それも、髪を長く伸ばした青年が目立つ。若い女性の見送り人も花やかな装いをしていた。華麗な人の渦（うず）である。方々に小さなグループがいくつもできて勝手に談笑していたが、見送られる人は一人だった。作曲界のホープ、和賀英良の渡米だった。

時計が九時二十分になった。

だれかが出発の近いことを告げた。ロビーで談笑していた連中が、和賀英良の立っているところに集まって、彼を囲んだ。

この夜の和賀英良は、よく似合う新調の洋服を着こみ、胸に大きなバラを咲かせていた。横には許婚者（フィアンセ）の田所佐知子が、コバルトブルーのスーツで寄りそっていた。花束もたいそう片腕に抱えている。彼女はだれよりもよく笑い、興奮していた。

まるで、二人の新婚旅行のようだと冷やかす者もある。

田所重喜は、白髪のあから顔をにこにこさせて立っていた。現大臣だし、政党の幹部だから、音楽界に関係のない政治家も来ていた。

ヌーボー・グループが和賀のすぐ前にいた。武辺、片沢、淀川などの面々だった。しかし、どういうものか、関川重雄はここに参加していない。

周囲では、関川は急に用事ができて来られなくなったのであろう、と噂していた。

和賀英良が大勢の人に囲まれて中央で挨拶した。

「……それでは、行ってまいります」

晴れがましい顔だ。胸にさした大輪の花が、そのまま彼の幸福を象徴している。

場内のアナウンスがはじまった。

「ホノルル経由サンフランシスコ行の、二十二時発、パン・アメリカン機は、まもなく出発用意が完了いたしますので、ご搭乗の方は、ただいまから出国の手続きをおうけください」

万歳が起こった。おびただしい手が賑やかに揃ってあがる。傍の見送りの人が目をみはって、その情景に見とれていた。

和賀英良は、搭乗客だけの専用通路をおりていた。巨大な外国の旅客機は、すでにエプロンで出発を待っている。

見送り人たちは、ロビーから送迎デッキに群れて流れこんだ。そこから、旅客機に乗る和賀英良の最後の姿に歓声をあげ、手を振るためである。折りから、機の胴体にタラップがゆっくりと運ばれていた。

空港の建物の下は、乗客が国外旅行に必要な手続きを取る場所になっている。荷物の検閲、ビザの検査、旅費を交換する銀行の出張所など、狭い通路の両側に部署を区切って並んでいる。

そこを通り抜けると、乗客ばかりの待合室がある。スチュワーデスが搭乗開始を知らせるまで、しばらくここで時間待ちをするためだった。

「もうすぐだね」

今西栄太郎が待合室の外で吉村に言った。吉村も両手をポケットに突っこみ、目だけ通路に向けてかすかに胴ぶるいしていた。

「長かったね」

と、今西栄太郎がふいと溜息(ためいき)のようなものを洩(も)らした。

「長かったですな」

それは、吉村の、今西の苦労へのいたわりと、尊敬でもあった。

「君」

今西が言った。

「本人に逮捕状を見せるのは君の役だ。君がしっかり本人の腕を握るんだよ」

「今西さん……」

吉村が、びっくりして今西を見た。

「ぼくはいいんだ。これからは、君たち若い人の時代だからな」

旅客が列を作って通路を歩いてきていた。先頭は太ったアメリカ人夫婦だった。荷物の検査、旅券の査閲、通貨の交換、それぞれの場所で人びとが手続きをしている。やがて、その全部をすませた者から、この待合室にはいってきた。

待合室は小ぢんまりとしている。最初の人から中にはいって、贅沢（ぜいたく）なクッションに腰をおろしはじめた。

「君」

今西栄太郎がその列のまん中にいる若い日本人を見て顎（あご）をしゃくった。

緊張した吉村が何気ないふうで和賀英良のそばに近づいた。

「和賀さん」

和賀英良は、自分に声をかけてきた男の顔を見て、ぎょっとなった。昨日、自宅に押しかけてきた中の、レインコートを着た刑事である。

「すみませんが」

待合室にはいる前、吉村は和賀を陰に呼んだ。

そこには今西栄太郎が立っていた。

「せっかくのところ、すみませんが」

吉村はポケットから封筒を出し、中の書類を出して作曲家に示した。和賀英良は、ふるえそうな手でそれを取り、動揺した視線を走らせた。逮捕状だった。理由は殺人罪の疑いとなっている。見ているうちに和賀英良の顔から血の気が引き、瞳(ひとみ)がぽかんと宙に浮いた。

「手錠は掛けません。表に署の車が待たせてありますから、おいでを願います」

吉村は、親しい友人のように彼の背中へ手を回した。

今西栄太郎は、和賀の片側にぴたりと寄り添った。一言もものを言わなかった。表情も変わらないが、目だけがうるんでいた。

ほかの乗客が怪訝(けげん)そうに、元の道へ戻っていく三人連れを見送った——。

送迎デッキでは、和賀英良を見送る人びとが大型の旅客機を見おろしている。空港の建物からそこまでは約五十メートルほど離れていた。真昼のような照明がその距離を花道のように照らしていた。

旅客の最初の一人が建物の下から出てきた。見送り人はいっせいにその方を見つめる。長身のアメリカ人将校だった。つづいて太ったアメリカ人夫婦、背の低い日本人、子供連れの外国婦人、着物を着た若い日本の女性と青年紳士。また外国人とつづく。

和賀の姿は見えなかった。先頭の乗客の一人は、もうタラップをのぼって、自分の見送り人たちに手を振っている。乗客の行列は次々とつづく。最後の一人が出た。

年寄りの肥えた外国人だ。それきり、あとはだれもつづかない。田所佐知子の顔に、ようやくふしぎそうな表情が流れた。怪訝そうなささやきが、そこここに起こった。

乗客は、スチュワーデスなどの乗員の出迎えを受けて、手を振りながら機体の中に吸いこまれていく。最後の人もタラップをのぼった。

みんな妙な顔をした。

おかしい、だれかがそう叫ぶと、変だ、とか、どうしたんだろうか、という声がにわかにあたりに起こった。田所父娘（おやこ）も、棒をのんだような不安な顔になっている。

このとき、きれいな女の声で場内アナウンスがはじめられた。

「二十二時発、サンフランシスコ行のパン・アメリカン機にご搭乗なさいます和賀英良さまのお見送りの方に申しあげます。和賀英良さまは急用が起こりまして、今度の飛行機にはお乗りになりません。和賀英良さまは今度の飛行機にはお乗りになりません……」

ゆっくりとした調子の、音楽のように美しい抑揚だった。

解説

小松伸六

スリラー小説のあたえる緊張感は、物語がはじまるまえにあった〈闇〉の部分によってひきおこされる。推理小説がはじまると同時に、我々のまえに大ていすでに死体が投げ出されている。したがってその惨劇の物語以前の〈闇〉の部分が重要なのである。そこには名状しがたい不安と恐怖と凶行があったはずだ。さらに物語が進行してゆくうち、この物語以前の〈闇〉に関連した〈闇〉が増大してゆく。ここまでがいわゆる犯罪者の物語である。

しかし推理小説である以上、その〈闇〉には光があたえられ、刑事によって、あるいはスーパーマンによって、あるいは素人探偵によって、ナゾは解明されねばならぬ。ここにも〈闇〉に挑戦してゆく知的運動からくる一つの緊張感があたえられる。それは審判者の物語である。つまりスリラー作家は二つの物語〈罪人の物語と審判者の物語〉を同時に描く作家(ナルスジャック)であることを要求される魔術師でなければならぬ。

『砂の器』にそくして言えば、原初の〈闇〉の部分は、東京の国電蒲田の操車場にあった惨殺死体が発見される以前の物語、被害者は一体、誰であったのか、そしてなぜ殺されたのかという、物語以前の暗点が重要なので、手がかりは、被害者の話していたカメダというナゾの東北弁である。それをベテラン刑事今西栄太郎が執念深く追跡してゆく。

この〈闇〉の部分が解明されないまま、物語が進行中、前衛劇団の事務員の成瀬リエ子、俳優宮田、バーの女三浦恵美子の〈死〉という〈闇〉がさらに拡大してゆく。一種の連続殺人事件だが、読者は、それら三人の変化の相よりも、第一の被害者の〈闇〉が、白日の下にさらされることを期待する。この第一の凶行はなぜ起ったのか、そして被害者は一体誰なのか。その発掘作業、すなわち原型復元を今西刑事は考えてゆくのである。

やがて被害者の身元がわかる。被害者が犯人に会いにいったのは、全くの善意からであり、なつかしさからである。ゆすりでもなければ復讐でもない。それにもかかわらず、被害者は犯人によって虐殺される。なぜか。犯人は、ライ病患者の子という極限的な状況を生きぬき、それを人にかくし、なんとか出世しようとし、現在では、かなりの知名人になり、高名な政治家の娘と結婚するという最大の幸運にありつこうとした男だった。犯人は、その幸運をのがさないためには、ライ患者の子であることを絶対に知られては困るのだ。被害者は、犯人の前身を知っている男として偶然、犯人のまえに姿をあらわしたのである。当然、犯人は自分の仮面が剝奪されるとおもい、被害者を殺すことになる。犯人は、かつての恩人である被害者を殺すのであるから、情状酌量の余地はないだろう。

しかしライ病（ハンセン氏病）は、今でこそ特効薬もでき、社会復帰も可能になったが、それでも、そんな身元がわかれば、世間の目は、彼を隔離しないまでも、就職差別、結婚差別をするかもしれない。その点で、『砂の器』は、かなり深刻な社会問題をもっている作品だとおもう。それだけに犯人の〈精神〉、いや、〈生〉の深淵そのものが〈闇〉のはずである。私はこれまでスリラー小説には、〈影〉とか〈ダークサイド〉（裏面）という言葉は、かなり使ってきたが、〈闇〉という字はさけてきた。

しかしハンセン氏病者は、かつては社会的人間ではなく、言葉のほんとうの意味において、疎外者である孤独な単独者であり、廃滅の人であった。犯人は、健康人であるとしても肉身にハンセン氏病者がおれば、彼はある意味で心に〈闇〉をもった、絶望者といえるのではなかろうか。そのためか『砂の器』は、私には、重く、沈んでくるような暗さをもった作品にみえる。深読みかもしれない。もちろん、この出世主義者でもある俗人の犯行は許されるべきものではない。彼の完全犯罪は、今西刑事によって、じょじょにくずされ、『赤と黒』（スタンダール）の主人公で、出世のためには聖職者の黒衣（野心の象徴）をもえらび、レーナル夫人を狙撃し、死刑の宣告をうけて断頭台に上ったジュリヤン・ソレルのような最期をとげることになる。当然なのである。

深読みはやめて、スリラーとしての『砂の器』の面白さは、まず、被害者が使ったという東北弁から、被害者の身元を洗ってゆく、その捜査過程にある。松本氏は、推理小説に、よく、地方の美しい風景、生活、伝説、方言などを巧みにとり入れ、作品にリアリティのある幅と奥行き、あるいは、反転して意外性をふくませることがある。『Dの複合』では羽衣伝説や浦島伝説が重要なモチーフになっているが、『砂の器』では、東北方言と似ている出雲方言が、犯人割出しのカギになっている。これは、引用されている「日本方言地図」の音韻分布図を参照されるといい。

この作品のほか、『落差』では土佐方言、『風の視線』では青森県の十三潟（現在は十三湖）が舞台になっているところから津軽弁が上手に使われ、郷土色を出すのに成功している。またこの作品で、羽後亀田と奥出雲の亀嵩（高級算盤の産地）の微妙な発音のちがいによって、読者をだますという、たくみな小説的処理をおこなっている。こうした作者の博学多識は、現代作家随一ではないかとおもう。

その次に面白いのは、新しい時代の脚光をあびているマスコミの寵児〝ヌーボー・グループ〟の批判である。松本氏の権力者ぎらい、アカデミーのにせ者ぎらい、つまり偶像破壊だが、とくに評論家ぎらいは有名である。たとえば「紳士は、いわゆる文明批評家だった。文学だけでなしに、美術方面や風俗にも時評の筆をふるっていた。三田謙三というと、有名人である」。この三田氏を、このグループの若い批評家の関川重雄は、「かねてから低俗なる批評家だと軽蔑していた。彼は『何でも屋』という渾名を三田氏に陰で呈上していた」と書き、しかも関川はまた作者によって、シンラツ無比にやられている。私はかなりのところまで関川が真犯人ではないかと思っていたほどである。事実、関川はバーの女三浦恵美子を愛人としながら、世間の目をこわがり、妊娠した恵美子を破滅においこむのである。

被害者の身元がわかり、彼が元巡査の三木謙一であることが判明。彼を殺した犯人が血染めの衣類をどんなふうに処分したかを、今西は推理して、つきとめてゆく。前衛劇団の事務員成瀬リエ子の自殺、さらに俳優宮田邦郎の自然死？ とつづく。リエ子は将来を嘱望されたヌーボー・グループの一員で前衛作曲家和賀英良の愛人であり、彼の秘密を知っていたが、和賀は現大臣の娘と婚約した。それならば、リエ子と宮田とは、どんなふうにつながっていたのか。このあたりがスリラー『砂の器』の絶対的魅力といえそうなのである。

もう一つ批評家関川重雄と作曲家和賀英良との陰鬱な関係がおもしろい。あるパーティで美しい歌手村上順子が和賀に挨拶して去ると「あの女は、なんとなく、新しい方向に目を向けたがっている。ところが、当人は、本質的にはそうじゃないんだ。自己の宣伝や、保身のために、われわれを利用しようというだけの話で、その根性が見えすいているね」と関川は言い、和賀は同意する。「先鋭的で、人を人と思わない不逞な度胸をもつ」この二人は、他人のことはよく見えていても、自分のこととなるとわからない。この言葉はそのまま自分たちに、はねかえってくることがわからない。しかも関川は、和賀の婚約にたいして批判的で、策略結婚とさえ言う。その関川もバーの女三浦恵美子を妊娠さすことで、自分の将来に不安をもつ出世主義者なのである。そして関川は恵美子のことを和賀にたのんでから、関川は和賀の音楽にたいして好意的なものになってゆき、対人関係は逆転、和賀の優位となる。共犯者意識が批評の自律性を関川からうばうばかりか、その奴隷になってしまう。このさかだちしてしまった〈なれあい〉には誇張があるにせよ、芸術家と批評家との奇妙な関係をクローズ・アップしている現代的絵図であると、自戒をこめて私は書いておきたい。

ミステリーであるため、ライ病患者のむすこであった犯人が、どのようにして戸籍から自らを抹殺し、変身していったかの術策、そこには、戦争と空襲があったこと、そして第二、第三の殺人をどのようにしておこなったかのトリックは、本文を読んでもらいたい。それにしても電子音楽とむすびつけたその殺害方法は、私には予想さえもつかなかった。おそらく慧眼な読者でも、見当がつかないと思われる。ただしこのナゾをとくまでの今西刑事には、日常的な肉体があったが、さいごは、肉体のないナゾとき天才になったのは、ちょっと残念である。私には「犯行以前」の被害者、加害者の〈闇〉のなかを捜査するところが、いちばん興味があった。もちろん作者は、そんなことは承知なのである。松本氏は、次のような意味のことを書いている。

「倒叙法は別として、普通、推理小説の形態をとった場合には、必ず解決篇が必要である。もし推理小説に文学性を望もうとするなら、それは、いまのところ文体や描写や人間性格の書き方であろう。しかし、最後にいたって〝絵解き〟の部分がはいると、俄然〝文学性〟は地下にもぐってしまう、絵解きぐらい非文学的な、通俗的な論理はない。しかも、これは必須条件である。……」

罪人の物語であるときはいいのだが、審判者の物語になり、正義が勝ち、道徳が救われる大団円となるとき、文学性が失われることを、松本氏はちゃんと指摘しているわけだ。とくに犯罪の動機に人間性、社会性をみてゆく松本氏にとって、絵解きによって、せっかくの文学性が駆逐されることは、痛恨のきわみなのである。

（昭和四十八年二月、文芸評論家）

この作品は昭和三十六年七月光文社より刊行された。

文字づかいについて

新潮文庫の日本文学の文字表記については、原文を尊重するという見地に立ち、次のように方針を定めた。

一、口語文の作品は、旧仮名づかいで書かれているものは新仮名づかいに改める。

二、文語文の作品は旧仮名づかいのままとする。

三、常用漢字表、人名用漢字別表に掲げられている漢字は、原則として新字体を使用する。

四、年少の読者をも考慮し、難読と思われる漢字や固有名詞・専門語等にはなるべく振仮名をつける。

松本清張著 **夜光の階段**（全二冊）

女は利用するのみ、そう心に決め、富と名声を求めて犯罪を重ねる青年美容師佐山道夫。男の野心と女の打算を描くサスペンス長編。

松本清張著 **迷走地図**（全二冊）

秘書、代筆屋、院内紙記者……派閥抗争の確執の中、代議士の陰に暗躍する人々。日本の心臓部永田町と保守政界のからくりを暴く。

松本清張著 **聖獣配列**（上・下）

可南子が偶然写した日米首脳秘密会談の写真が巻き起こす意外な波紋。迎賓館、スイス銀行、国連欧州本部を結ぶ国際謀略サスペンス。

松本清張著 **赤い氷河期**

西暦2005年、世界情勢は激しく揺れ、現代のペスト、エイズは猖獗を極めていた。近未来のヨーロッパを舞台に描く長編サスペンス。

松本清張著 **状況曲線**（上・下）

二つの殺人の巧妙なワナにはめられ、追いつめられていく男。そして、発見された男の死体。三つの殺人の陰に建設業界の暗闘が……。

松本清張著 **過ぎゆく日暦**（カレンダー）

ニューヨークの死体置場から、家族の不和に悩む鷗外の姿まで。日記形式で書き留められた、創作の臨場感あふれる〝清張ノート〟。

砂の器（下）

新潮文庫　ま－1－25

昭和四十八年三月三十日　発行
平成二年五月二十五日　五十五刷改版
平成七年九月二十五日　六十七刷

著者　松本清張
発行者　佐藤亮一
発行所　株式会社 新潮社

郵便番号　一六二
東京都新宿区矢来町七一
電話　編集部（〇三）三二六六－五四四〇
　　　読者係（〇三）三二六六－五一一一
振替　〇〇一四〇－五－八〇八

価格はカバーに表示してあります。

乱丁・落丁本は、ご面倒ですが小社読者係宛ご送付ください。送料小社負担にてお取替えいたします。

印刷・東洋印刷株式会社　製本・有限会社加藤新栄社

ISBN4-10-110925-7　C0193